HANS JAKOB CHRISTOPH
VON GRIMMELSHAUSEN

Der seltzame Springinsfeld

HERAUSGEGEBEN
VON KLAUS HABERKAMM

PHILIPP RECLAM JUN. STUTTGART

Der Seltzame Springinßfeldt

Der seltzame

Springinsfeld /

Das ist

Kurtzweilige / lusterweckende und
recht lächerliche Lebens-Be-
schreibung.

Eines weiland frischen / wolver-
suchten und tapffern Soldaten/

Nunmehro aber ausgemergelten /
abgelebten doch dabey recht
verschlagnen

Landstörtzers und Bettlers /

Samt

seiner wunderlichen Gauckeltasche.

Aus Anordnung des weit und
breit bekanten Simplicissimi
Verfasset und zu Papier gebracht
Von

Philarcho Grosso von
Tromerheim.

Gedruckt in Paphlagonia bey
Felix Stratiot.
Anno 1670.

Für Günther Weydt
im Grimmelshausen-Jahr 1976

Universal-Bibliothek Nr. 9814 [3]
Alle Rechte vorbehalten. © Philipp Reclam jun. Stuttgart 1976
Gesetzt in Petit Garamond-Antiqua. Printed in Germany 1976
Herstellung: Reclam Stuttgart
ISBN 3-15-009814-9

Vor Zeiten[1] nennt' man mich den dollen Springinsfeld,
  Da ich noch jung und frisch mich dummelt in der Welt,
Zu werden reich und groß durch Krieg und Kriegeswaffen
Oder, wann das nit glückt', soldatisch einzuschlafen[2].
  Mein Fatum[3], was tät das, die Zeit und auch das Glück[4]?
  Sie stimmten in *ein* Horn[5], zeigten mir ihre Tück!
Ich wurd des Glückes Ball[6], mußt wie das Glück
                                                umwälzen[7],
Mich lassen richten zu, daß ich nun brauch ein Stelzen[8];
  Stelz jetzt vors Bauren Tür, im Land von Haus zu Haus,
  Bitt den ums liebe Brot, den ich so oft jagt aus!
Und zeig der ganzen Welt durch mein armselig Leben,
Daß teils[9] Soldaten jung alte Bettler abgeben.

Inhalt

Das 21. Kapitel

Springinsfeld verheuratet sich, gibt einen Wirt ab, welches Handwerk er mißbraucht; wird wieder ein Witwer und nimmt sein ehrlichen Abschied hinder der Tür

Das 22. Kap.

Türkenkrieg des Springinsfelds in Ungarn und dessen Verehelichung mit einer Leirerinnen

Das 23. Kapitel

Seines blinden Schwähers, der Schwiegermutter und seines Weibs wird Springinsfeld wieder nacheinander los

Das 24. Kapitel

Was die Leirerin for lustige Diebsgriff und an andern Possen angestellt; wie sie einen unsichtbaren Poldergeist, ihr Mann aber wieder ein Soldat gegen dem Türken wird

Das 25. Kapitel

Was und wie Springinsfeld in Candia kriegt', auch wie er wieder in Teutschland kam

Das 26. Kap.

Was die Leirerin weiters für Possen angestellt und wie sie endlich ihren Lohn bekommen habe

Das 27. Kap.

Endlicher Beschluß von des Springinsfelds seltzamen Lebenslauf

Das I. Kapitel

Was for eine schwer vertäuliche[1] Veranlassung den Autor
zu Verfassung dieses Werkleins befördert[2]

Als ich verwichne Weihnachtmeß[3] in eines vornehmen
Herrn Hof mit höchstvertrießlicher Patienz[4], umb eine
Resolution[5] zu erlangen, aufwartete auf[6] eine Supplikation[7],
darinnen ich gar beweglich umb einen Schreiberdienst gebeten und in derselben meinen hohen Fleiß mit den aller-
andächtigsten Worten gerühmt, auch die Beständigkeit meiner unvergleichlichen Treu genugsam versichert hatte,
gleichwohl aber der gewünschte Bescheid dermaleins[8] nicht
kommen wollte, siehe, da wurde ich noch viel ungeduldi-
ger! Vornehmlich als ich sahe, daß die schmutzige Kuchen-[9]
und stinkende Stallratzen[10] in ihrer Ästimation[11] passiert[12],
ich aber wie ein ungesalzener Stockfisch[13], den man auch
keiner fernerer Versuchung[14] würdigt, verachtet wurde. Ich
hatte damals allerlei Gedanken und grillenhaftige[15] Einfäll,
und wie ich in erstgedachter Bursche höhnischen Angesich-
tern lesen konnte, bedunkte mich, sie wurden sich endlich
unterfangen, mir den Hut zu trehen[16] und den Kunzen
mit mir zu spielen[17], wann ich entweder nicht bald ein angenehme Resolution kriegte oder ohne dieselbige von mir
selbst darvon gienge. Bald sprach ich mir wiederumb ein
anders zu und versichert mich selbst eines weit bessern Aus-
gangs[18]: »Geduld, Geduld«, sagte ich zu mir, »gut Weil
will Ding haben« (dann ich brachte alles das Hinterst zum
vördersten vor, weil ich ganz verwirret ware), »erlangstu
diesen Dienst, so kannstu diesen Schindhunden[19] diese
Fachtung[20] schon eintränken.« Ich wurde aber nicht allein
von diesen unsäglich[21] innerlichen Anfechtungen, sonder
auch von der damaligen grimmigen Kälte von außenhero
dergestalt geplagt, daß ein jeder, der mich gesehen und die
Kält nit selbst empfunden, tausend Eid geschworen hätte,
ich wäre mit einem 3- oder 4tägigen Fieber[22] behaft. Das
Gesind liefe hin und wider, ohne daß sie meiner viel ge-

achtet oder mich besprochen²³. Als ich mich aber am allerbesten mit guter Hoffnung speisete und aufenthielte²⁴, da wurde ich eines holdseligen Kammerkätzchens²⁵ gewahr, deren schenkte ich gleich mein Herz; dann als sie recta²⁶ gegen mich gieng, konnte ich mir nichts anders einbilden, als dieses wäre ein ohnzweifelbares Omen²⁷, daß ich ihr Serviteur²⁸ werden würde. Das Herz hupfte mir gleichsam vor Freuden, weil mich der Wahn²⁹ einer solchen künftigen Glückseligkeit versicherte! Da sie aber zu mir kam und ihr kirschenrotes Mäulchen auftät, sagte sie: »Guter Freund, was habt Ihr hier zu tun? Seid Ihr vielleicht ein armer Schüler³⁰, der etwan ein Almosen begehrt?« Da gedachte ich gleich: »Diese Wort schlagen alle deine Hoffnung zu Boden.« Dann weil wir Schreiber ebenso hoffärtige Geister – was sage ich: hoffärtige? ich will sagen: gleich³¹ so großmütige Sinne – haben und besitzen als etwan die Schneider selbsten, die sich bei großen Herren zutäppisch machen³², wann sie erstlich ihre Kammerdiener und endlich zu ihren Herrn (man denke doch nur, wie verwirrt ich damals in mir selbst gewesen, weil ich noch jetzt alles so irrig und verwirrt vorbringe), ich hatte sagen wollen: zu Herrn werden (dann große Herren werden ja weder Schreiber noch Schneider über sich zu Herrn setzen), als³³ bedunkte mich, die Jungfer sollte sich nach meiner Einbildung akkommodiert³⁴ und gesagt haben: »Was beliebt meinem hochgeehrten Herrn?« oder: »Was verlangt derselbe hier for Geschäfte zu verrichten?« Nun, was bedarf's vieler Wort? Ich wurde ganz bestürzt und konnde die Jungfer doch keiner Unbescheidenheit beschuldigen, weil sie ihre Frag mit einer wohlständigen³⁵ Red vorgebracht; auch konnte ich kaum so viel Wort in meinem Capitolio³⁶ (so der alten Römer Rüst- und Waffenkammer gewesen) aus allem Vorrat, den ich darin hatte, zusammenbringen, diesem ersten Streich, der mir empfindlicher als eine dichte Maulschell³⁷ vorkam, der Gebühr nach³⁸ zu begegnen. Doch lallete ich endlich mit einer aus Furcht, Hoffnung und Kälte verursachter zitterender oder babender³⁹ Stimme so viel daher, daß ich derjenig Monsieur[40] wäre, der auf Rekommendation[41] ehrlicher Leute ihres Herrn Schreiber zu werden verhoffte. »Ach mein gar lieber Gott«, antwortet' das Rabenaas[42], »ist Er derselbig? Ach, Er schlage solche Gedanken aus dem Sinn, dann ein solcher, der den Dienst haben will, welchen Er verlangt, muß meinen gn.[43] Herren entweder um 1000 Taler gesessen sein[44] oder umb solche Summa einen Bürgen stellen. Mir ist allbereit vor dreien Tagen ein halber Reichstaler gegeben worden, Ihme solchen zuzustellen, wann Er sich anmeldet, und unser los[45] Gesind hat mir nit einmal gesagt, daß Ihr da seied, ich wollte Euch sonst so lang in dieser Kälte nit haben stehen lassen.« Man kann leicht gedenken, was ich damal for eine Nase hatte[46]! Ich gedachte halt: »Da schlag Venus zu, so darf Vulcanus eines Knechts weniger!«[47] Ich hatte gar nit den Willen, angeregten[48] halben Taler zu nehmen, maßen ich mich auch drum wehrete, weil ich mir einbildete, solche Abfertigung[49] wäre meiner schreiberischen Reputation[50] schimpflich und zuwider. Doch gedachte ich: »Wer weiß, wo dir dieser Herr noch eine Gnad erweisen kann«; schob ihn derowegen in Sack und faßte eine Hoffnung, mit der Zeit durch die liebe Geduld den gebetenen Dienst noch zu erlangen, welchen ich mitsambt des Herrn Gnad verscherzen würde, wann ich so trutzig und halsstärrig dies geringe Geld ausschlug.

Solchergestalt nahm ich meine Abfertigung[51], und die Jungfer selbst gab mir das Geleit bis under das Tor, weil sie dasselbe, als gegen dem Mittagimb'ß[52], gleich zu beschließen willens. Da machten wir nun nach als mithin[53] wegen des halben Talers unsere Komplimenten, under welchen der Jungfer diese Wort entfuhren: »Er nehme ihn nur kecklich[54] hin und versichere sich, daß mein gn. Herr und Frau auch das geringste, so ihnen zu Dienst geschiehet, nit unbelohnt lassen, und sollte ihnen einer nur auf die Heimlichkeit[55] mit einem Licht vorgehen.« Das verdrosse mich so grausam übel und jagte mich so in Harnisch[56], daß ich der Jungfer mehr unbescheiden als vernünftig antwortet': »So saget Euren gn. Herrn«, sprach ich, »wann er mir einen jeden

s. h.[57] Arschwisch, darzu er meine Supplikation[58] unweislich[59] brauchen möchte, ehe er sie gelesen, so teuer bezahlen wolle, so werde es ihm ehender an Geld, als mir an Papier, Federn und Dinten manglen.« Darauf trollte[60] ich mich eine lange Gasse hinauf, vor Zorn mehr unsinnig[61] als ohnwillig[62]. Ich wußte es denen, so mich in litteris abgeführt[63] hatten, so wenig Dank, daß mich auch reuete, daß ich meinen Praeceptoribus[64] mit dem Hindern nit ins Angesicht geloffen, wann sie mir etwan zu Zeit[65] einen Produkt[66] geben. »Ach«, sagte ich, »warumb haben dich doch deine Eltern nicht ein Handwerk oder Tröschen[67], Strohschneiden oder dergleichen so etwas lernen lassen, so hättest du ja jetzunder auch bei jedem Bauren Arbeit und dörftest[68] nicht vor großen Herren Tür stehen, ihnen zu schmeicheln. Könntest doch nur jetzt das allerverächtlichste Handwerk, das sein mag, so fändestu gleichwohl Meister, die dich des Handwerks halber aufnehmen und dir das Geschenk hielten[69], wann sie dir gleich keine Arbeit gäben etc. In diesem deinem Stand nimbt sich aber kein Mensch deiner an und bist der allerverachteste Bärnhäuter[70], der sein mag!« In diesem meinem Unwillen passierte[71] ich ein weiten Weg; gleichwie mir aber der Zorn nach und nach vergieng, also empfande ich die damalige grausame Kälte je länger je mehr, deren ich bishero so hoch noch nit geachtet hatte; ja sie quälte mich dergestalt, daß ich nach einer warmen Stub seufzete, und demnach eben ein Wirtshaus gegen mir stunde[72], gienge ich mehr der Wärme halber hinein, als den Durst zu löschen.

Das II. Kapitel

Coniunctio Saturni, Martis & Mercurii[1]

Daselbst wurde ich viel höflicher empfangen als von obengedachter höflichen Jungfrauen; dann der Hausknecht kam gleich und fragte: »Was beliebt dem Herrn?« Ich gedachte:

»Zwar heut diesen ganzen Tag der Schreiberdienst, jetzt aber der Stubenofen«; sagte aber doch zu ihm: »Ein gute halb Maß Wein«, die er mir auch gleich langte, dann es war kein Badstub[2], darin man die Hitz bezahlte, sonder ein Ort der Zehrung, darin man die benötigte Wärme umsonst hatte oder wenigst in die Zech rechnete. .

Ich setzte mich mit meiner halben Maß Wein sehr nahe zum Ofen, umb mich rechtschaffen auszubächen[3], allwo sich an eben demselbigen Tische ein Mann befande, der im Pfenningwert zehrete[4] und treschermäßigerweis[5] mit beiden Backen so gewaltig zuhiebe[6], daß ich mich darüber verwunderte. Er hatte allbereit eine Supp im Magen und for zwei[7] Kraut und Fleisch allerdings aufgerieben[8], da ich hinkam, und fragte noch darzu nach einen guten Stück Gebratens, welches verursachte, daß ich ihn besser betrachtete. Da sahe ich, daß er nicht nur zum Fressen[9], sondern auch an der Gestalt viel ein anderer Mensch war, als ich mein Lebtag jemals einen gesehen; dann von Proportion des Leibs war er so groß, als wäre er in Chili[10] oder Chica[11] geboren worden, sein Bart war ebenso lang und breit als des Wirts Schiefertafel, dahin er der Gäste aufgetragene Zehrung annotierte, die Haupthaar aber kamen mir vor wie diejenige, die ich mir etwan hiebevor eingebildet, daß Nabuchodonosor[12] dergleichen in seiner Verstoßung[13] getragen habe; er hatte einen schwarzen Kittel an von wüllenem Tuch, der gieng ihm bis an die Kniekehlen, auf ein ganz fremde und beinahe auf die alte, antiquitätische[14] Manier mit grünen wüllen Tuch an den Nähten underlegt, gefüttert und ausgemacht[15]. Neben ihm lag sein langer Pilgerstab, oben mit zweien Knöpfen[16] und unden mit einem langen eisernen Stachel versehen, so dick und kräftig, daß man einen gar leicht in einem Streiche die letzte Ölung damit hätt reichen mögen[17].

Ich vergaffte mich schier zum Narren über diesem seltzamen Aufzug, und indeme ich ihn je länger je mehr betrachtete, wurde ich gewahr, daß sein ungeheurer Bart ganz widersinns[18], das ist: wider[19] die europäischen Bärt geart und gefärbt war; dann die Haar, so ererst bei einem halben Jahr gewachsen, sahen[20] ganz falb[21], was aber älter war, brandschwarz; da doch hingegen bei andern Bärten von solcher Farb die Haar zunächst an der Haut ganz schwarz und die übrige je älter je falber oder wetterfärbiger[22] zu erscheinen pflegen. Ich gedachte der Ursach nach und konnte keine andere ersinnen, als daß die schwarze Haar in einem hitzigen Lande, die falbe aber in einem viel kältern müßten gewachsen sein, und solches war auch die Wahrheit; dann nachdem dieser auf sein Gebratens warten und also mit dem Essen ein wenig pausieren mußte, ließe er's über das Trinken gehen[23], da er dann nit weniger tun konnte, als mir eins zuzubringen[24], wann er anders[25] haben wollte, daß ihm jemand den Trunk gesegnen sollte, weil ohne mich[26] noch kein anderer Gast vorhanden. Und demnach mir das Maul, welches die grausame Kälte ganz starrhart zugefrört[27] hatte, auch nunmehr wieder ein wenig begunte[28] aufzutauen, siehe, da kamen wir gar miteinander in ein Gespräch, warin[29] ich ihn zum allerersten fragte, ob er nicht erst vor ungefähr einem halben Jahr aus India[30] kommen wäre. Doch damit er keine Ursach haben möchte zu antworten: »Was gehet's dich an?«, brachte ich's meines Bedunkens gar höflich vor, dann ich sagte: »Mein hochgeehrter Herr beliebe meiner vorwitzigen[31] Jugend zu vergeben, wann sie sich erkühnet zu fragen, ob derselbe nicht allererst vor einem halben Jahr aus India kommen.« Er verwundert' sich, sahe mich an und antwortet': »Wann Ihr sonst keine Nachricht und Kundschaft[32] von meiner Person habt, als daß Ihr mich jetzt das erstemal sehet, so messe ich Eurer Jugend keinen Vorwitz, sonder einen rechtschaffnen Verstand und ein solches Iudicium[33] zu, welche beide eine Begierde in Euch erwecken, dasjenig eigentlich[34] zu wissen, was Euer Verstand von mir gefaßt und das Iudicium beschlossen habe; derowegen sagt mir zuvor, woraus Ihr abgenommen, daß ich vor einem halben Jahr noch in India gewesen, so will ich Euch hernach zu vernehmen geben, daß Ihr von mir und meiner Reise recht geurteilt.« Als ich ihn nun sagte, daß mir die Haar seines Barts solches zu verstehen geben, antwortet' er, ich hätte recht und damit an Tag gelegt, daß noch mehr als nur dieses hinder mir stecke.

Hierauf mahnet' er mich, Bescheid zu tun[35]; dieweil er aber seinen Wein mixtiert'[36], scheuete ich mich zu trinken; dann er hatte aus seinem Sack ein zinnern Büchse gezogen, in deren ein Electuarium[37] war, das allerdings dem Theriak[38] gleichsahe. Aus derselben nahm er eine Messerspitze voll derselbigen Materi[39] und mischet's under ein gemeines Trinkgläslein neuen Wein (dann er trank kein alten, sonder nur neuen Zweenbatzenwein[40]), davon er so dick und gelb wurde, daß er schier einer widerwärtigen Purgation[41] oder doch wenigest einem alten Baumöl[42] sich verglich. Wann er nun trinken wollte, so gosse er jederzeit ein einzigen Tropfen hiervon in das Glas, davon der milchfarbe neue Wein sich alsobalden veränderte, alle noch in sich habende unverjorne faeces[43] zu Boden fallen ließe und wie ein alter, abgelegner[44] Wein von Farb dem Gold gleich erschiene. Er sahe wohl, daß ich keinen sonderlichen Lust zu seinem Getränk trug, sagte derowegen, ich sollte kecklich trinken, es würde mir nichts schaden, und als ich mich überreden ließe, den Wein zu versuchen, befande ich ihn so lieblich, kräftig und gut, daß ich ihn for Malvasier[45] oder spanischen Wein getrunken hätte, wann ich nicht gesehen, daß es ein neuer Elsasser gewesen. Darauf erzählte er mir, daß er diese Kunst bei den Armeniern gelernet, und erwiese im Werk[46], daß ein alter, abgelegener, sonst an sich selbst sehr köstlicher Wein, wie ich damal vor mir stehen hatte, von diesem Elixier[47], wie er's nennet', bei weitem nicht so gut wurde als ein gemeiner neuer. Dessen gab er Ursach[48], daß der neue seine Kräfte noch völliger beieinander und, wie in etlichen Jahren dem alten geschehen, noch nichts darvon verloren hätte.

Wie wir nun so von dem Wein und dieser Kunst miteinander diskurrierten[49], da trat ein alter Kronzer[50] mit einem Stelzfuß zur Stuben hinein, den die eingenommene[51] Kälte auch gleich wie mich zum Stubenofen triebe. Er hatte sich kaum ein wenig gewärmet, als er ein kleine Diskantgeige[52] hervorzog, dieselbe stimmte, vor unsern Tisch trate und eins daherstriche, worzu er mit dem Maul so artlich humset'[53] und quickeliert'[54], daß einer, der ihn nur gehört und nicht gesehen, hätt glauben müssen, es wären dreierlei Saitenspiel untereinander gewesen. Er war ziemlich schlecht auf den Winter gekleidet und hatte auch allem Ansehen nach keinen guten Sommer gehabt, dann sein magere Gestalt bezeugte, daß er sich mit den Schmalhansen betragen[55], und seine ausgefallene Haar, daß er noch darzu eine schwere Krankheit überstehen müssen. Der Schwarzrock, so bei mir saße, sagte zu ihm: »Landsmann, wo hastu dein anderes Bein gelassen?« »Herr«, antwortet' dieser, »in Candia[56].« Darauf sagte jener: »Das ist schlimm!« »O nein, nit so gar schlimm«, antwortet' der Stelzer, »dann jetzt freurt[57] mich nur an ein Fuß, und ich bedarf auch nur einen Schuch und einen Strumpf!« »Höre«, sagte der im schwarzen Rock ferner, »bistu nit der Springinsfeld[58]?« »Vorzeiten«, antwortet' dieser, »war ich's, aber jetz bin ich der Stelzvorshaus, nach dem gemeinen[59] Sprichwort: ›Junge Soldaten, alte Bettler!‹ Aber wie kennet mich der Herr?« »An deiner artlichen[60] Musik«, antwortet' jener, »als welche ich bereits vor mehr als dreißig Jahren zu Soest gehöret habe; hastu nit damals einen Kameraten gehabt unter denen daselbst gelegenen Tragonern, der sich Simplicius genennet?« Da nun Springinsfeld solches bejahete, sagte der Schwarzrock: »Und eben derselbe Simplicius bin ich.« Hierüber sagte Springinsfeld vor Verwunderung: »Daß dich der Hagel erschlag!« »Wie?« sprach Simplicius zu ihm, »schämestu dich nicht, daß du allbereit so ein alter Krüppel und dannoch noch so rohe, gottlos und ungeheißen[61] bist, deinen alten Kameraten mit einem solchen Wunsch zu bewillkommen?« »Potz[62] hunderttausend Sack voll Enten[63], du hast's gewiß besser gemacht«, sagte Springinsfeld, »oder bistu seither vielleicht zu einem Heiligen worden?« Simplicius antwortet': »Wann ich gleich kein Heiliger bin, so hab

18

ich mich doch gleichwohl beflissen, mit Aufsammlung der Jahr die böse Sitten der unbesonnenen Jugend abzulegen, und bin der Meinung, solches würde deinem Alter auch anständiger sein als Fluchen und Gotteslästern.« »Mein Bruder«, antwortet' Springinsfeld gar ehrerbietig, »vergeb mir for diesmal und sei mit mir zufrieden, ich begehr mit dir um nichts (es seien dann etwan ein paar Kandel[64] Wein) zu disputieren[65].« Und indem er sich unter diesen Worten ganz ungeheißen zu uns an Tisch gesetzt hatte, zog er einen alten Lumpen hervor, knüpfte denselbigen auf, ferners sagende: »Und damit du nicht etwan vermeinen möchtest, der bettelhafte Springinsfeld wollte bei dir schmarotzen, so sehe, hier hab ich auch noch ein paar Batzen, die zu deinen Diensten stehen.« Und damit schütte[66] er eine Handvoll Dukaten[67] auf den Tisch, welche ich etwas mehr als 200 zu sein schätzte, und befahl dem Hausknecht, ihme auch eine Maß Wein herzubringen, welches aber Simplicius nicht zugeben wollte, sondern brachte ihm eins und sagte, was es des Geprängs[68] mit dem Gelde viel bedörfte, er sollte es nur wieder einstecken, weil er dergleichen wohl mehr hätte gesehen.

Das III. Kapitel

Ein lächerlicher Poss'[1], der einem Zechbruder widerfahren

Ich mußte mich verwundern und freute mich, daß ich derjenigen unversehenen Zusammenkunft beiwohnen sollte, von welcher ich in Simplicissimi Lebensbeschreibung[2] so viel seltzams Dings gelesen und von denen ich aus Anstalt[3] der Courage selbst dergleichen geschrieben. Als sich ihre Wortwechslung geendigt und Simplicius ein Glas voll Wein herausgehoben[4], das er dem Springinsfeld zum Willkomm zugetrunken hatte, da kam noch ein Gast herein, welchen ich der Kleidung und Jugend nach for meinesgleichen, das ist: for einen Schreiberknecht hielte. Er stellete sich an ebenden

Ort zum Stubenofen, wo ich zuvor und nach mir auch Springinsfeld gestanden, gleichsam als wann alle ankommende Gäste zuvor dorthin hätten stehen müssen, ehe sie sich hätten niedersetzen dörfen; und gleich hernach folgte ein überrheinischer[5] Baur, der ohn Zweifel ein Rebmann[6] war, dieser ruckte[7] vor jenem die Kappe und sagte: »Herr Schaffner[8], ich bitte, Ihr wollet mir einen Reichstaler geben, damit ich mein Kärst[9] aus der Schmiten[10] lösen möge, allwo ich sie hab gerben[11] lassen.« »Ach, was zum Schinder ist das?« antwortet' jener, »was machstu mit der Gerst in der Schmiten? Ich hab vermeinet, man gerbe sie in der Mühlen.« »Meine Kärst, meine Kärst!« sagte der Bauer. »Ich hör's wohl«, antwortet' der Schaffner, »vermeinestu dann, ich sei taub? Mich wundert nur, was du damit in der Schmiten machst, sintemal man die Gersten in der Mühl zu gerben oder zu röllen[12] pflegt!« »Ei Herr Schaffner«, sagte der Baur, »ich sage Euch von keiner Gersten, sonder von meinem Kärsten, damit ich hacke.« »Ja so!« antwortet' der Schaffner, »das wäre ein anders«, und zählet' damit dem Bäuerlein einen Taler hin, den er auch gleich in seine Schreibtafel aufnotierte. Ich aber gedachte: »Sollestu ein Schaffner über Rebleut sein und weißt noch nichts von den Kärsten?« Dann er befahl dem Bauren, daß er solche zu ihm bringen sollte, um zu sehen, was es for Kreaturen wären und was der Schmied daran gemacht hätte. Simplicius aber, der diesem Gespräch auch zugehöret, fieng an zu lachen, daß er hotzelte[13], welches auch das erste und letzte Gelächter war, das ich von ihm gehöret und gesehen, dann er verhielte sich sonst gar ernsthaftig und redete, obzwar mit einer groben und mannlichen Stimme, viel lieblicher und freundlicher, als er aussahe, wiewohl er auch mit den Worten gar gesparsam umgieng. Springinsfeld hingegen verlangte die Ursach solches Lachens zu hören, ließe auch nicht ab, am Simplicio zu bitten, bis er endlich sagte, die vom Schaffner letz[14] verstandene Wort des Bauren hätten ihn an einen Possen erinnert, den er auch wegen eines mißverstandenen Wortes in seiner unschuldigen Jugend – zwar wider seinen Willen – angestellet, wessentwegen er gleichwohl ziemliche Stöße eingenommen[15]. »Ach, was war das?« fragte Springinsfeld. »Es ist unnötig«, antwortet' Simplicius, »daß ich euch zu einer eitelen[16] Torheit reize, darfor[17] ich das übermäßige Gelächter halte, ohne welches ihr aber die Histori[18] nicht anhören könnet, dann ich würde mich auf solchen Fall mit fremder Sünde beladen.« Ich warf meine Karten mit unter[19] und sagte: »Hat doch mein hochgeehrter Herr selbsten in seiner Lebensbeschreibung[20] so manchen lächerlichen Schwank eingebracht; warumb wollte er dann jetzt seinen alten Kameraden zu Gefallen ein einzige lächerliche Geschicht nicht erzählen?« »Jenes tät ich«, antwortet' Simplicius, »weil fast niemand mehr die Wahrheit gern bloß[21] beschauet oder hören will, ihr ein Kleid anzuziehen, dardurch sie bei den Menschen angenehm verbliebe und dasjenig gutwillig gehöret und angenommen würde, was ich hin und wider an der Menschen Sitten zu korrigieren bedacht war; und gewißlich, mein Freund, er sei versichert, daß ich mir oft ein Gewissen drum mache, wann ich besorge[22], ich seie in ebenderselben Beschreibung an etlichen Orten allzu frei gangen[23].« Ich repliziert'[24] hinwieder und sagte: »Das Lachen ist den[25] Menschen angeborn und hat solches nicht allein vor allen andern Tieren zum Eigentum, sondern es ist uns auch nützlich! Wie wir dann lesen, daß der lachende Democritus[26] in guter Gesundheit 109 Jahr alt worden, dahingegen der weinende Heraclitus[27] in frühem Alter eines elenden Tods, und zwar in einer Kühhaut, darin er sich wickeln lassen seine Glieder zu heilen, gestorben; dahero dann auch Seneca[28] in libro de tranquillitate vitae[29], allwo er dieser beiden Philosophen gedenkt, vermahnet, daß man mehr dem Democrito als dem Heraclito nachfolgen soll.« Simplicius antwortet': »Das Weinen gehöret dem Menschen sowohl als das Lachen eigentlich zu, aber gleichwohl allzeit zu lachen oder allzeit zu weinen, wie diese beide Männer getan, wäre ein Torheit, dann alles hat seine Zeit; gleichwohl aber ist das Weinen dem Menschen mehr als das Lachen angeboren, dann nicht allein alle Menschen, wann sie auf die Welt kommen, weinen (man hat nur das einige[30] Exempel des Königs Zoroastris[31], der, wie er geborn, alsbald gelacht, so zwar von Nerone[32] auch gesagt wird), sondern es hat der Herr Christus[33], unser Seligmacher, selbst etlichmal geweinet; aber daß er jemals gelacht, wird in H. Schrift nirgends gefunden, sondern er hat vielmehr gesagt: ›Selig seind, die weinen und Leid tragen, dann sie werden getröst werden.‹ Seneca als ein Heid mag das Lachen dem Weinen wohl vorziehen; wir Christen aber haben mehr Ursach, als über die Bosheit der Menschen zu weinen, als über ihre Torheit zu lachen, weil wir wissen, daß auf die Sünde der Lachenden ein ewiges Heulen und Wehklagen folgen wird.« »Bei mein' Eid«[34], sagte hierauf Springinsfeld, »wann ich nit glaube, du seiest ein Pfaff worden!« »Du grober Gesell[35]«, antwortet' ihm Simplicius, »wie darfst du das Herz haben, so leichtfertig for ein Ding zu schwören[36], wann du mit deinen eignen Augen das Widerspiel[37] siehest? Weißt du auch wohl, was ein Eid ist?« Springinsfeld mußte sich ein wenig schämen und bat um Verzeihung; dann Simplici Mienen waren so ernsthaft und betrohenlich[38], daß er einen jeden damit erschröcken konnte. Ich aber sagte zu demselbigen: »Weil meines hochgeehrten Herrn Reden und Schriften voller Sittenlehren stecken, so muß ohne Zweifel diejenige Geschichte, deren er sich mit einem so herzlichem Gelächter erinnert, beides lustig zu hören und etwas Nützliches daraus zu lernen sein« – mit Bitte, er wollte sie doch ohnbeschwert[39] erzählen. »Nichts anders«, antwortet' Simplicius, »lernet sie, als daß einer, so jemand etwas Nötiges fragt, solche Sprach und Wort gebrauchen soll, daß sie der, so gefragt wird, geschwind verstehe und in der Eil seinen richtigen Bescheid darüber geben könne; sodann, daß einer, der gefragt worden, die Frag aber nicht eigentlich und gewiß verstanden, nit alsobald antworten, sonder von dem Fragenden, vornehmlich wann er von höherer Qualität[40] ist, noch einmal seine Frag zu vernehmen gebührend begehren soll. Die lächerliche Histori ist diese: Als ich noch Page beim Governeur in Hanau war[41], da hatte er einmals ansehenliche Offizier zu Gaste, darunter sich auch etliche Weimarische[42] befanden, denen er mit dem Trunk trefflich zusprechen ließe; die Fremde und Heimische waren gleichsam in zwo Parteien underschieden, einander wie in einer Battaglia[43] mit Saufen zu überwinden; das Frauenzimmer stund auf und verfügte sich in sein Gemach, gleich nachdem man das Konfekt aufgestellt, weil ihnen mitzugehen[44] die Gewohnheit[45] verbote. Die Kavalier aber sprachen einander so scharf zu, sich stehend vollends aufzufüllen, daß sich auch etliche mit dem Rucken an die Stubtür lehneten, damit ja keiner aus dieser Schlacht entrunne (welches mich an diejenige Marter ermahnet, damit Tyberius[46], der römische Kaiser, viel Leut getötet; dann wann er solche umbbringen lassen wollte, ließe er sie zuvor zu vielen Trinken nötigen, ihnen hernach die s. h. Harngäng dermaßen vernußbicklen[47], daß sie den Urin nicht lassen könnten, sondern endlich mit unaussprechlichen Schmerzen sterben mußten); endlich entwischte einer, der damal kein größer Anliegen und Begierde hatte, als das Wasser zu lassen, und weil es ihn ohn Zweifel gewaltig trängte, liefe er wie ein Hund aus der Kuchen, der mit heißem Wasser gebrühet worden, in welcher Eil er mir zu seinem und meinem Unglück begegnete, fragende: ›Kleiner, wo ist das Sekret[48]?‹ Ich wußte damal weniger als der Teutsche Michel[49], was ein Sekret war, sondern vermeinte, er fragte nach unserer Beschließerin[50], welche wir Gret nannten, die sonst aber Margaretha hieße und sich eben damals beim Frauenzimmer befand, dahin sie die Jungfer[51] rufen lassen. Ich zeigte ihm hinten am Gang das Gemach und sagte: ›Dort drinnen.‹ Darauf rennete er darauf los wie einer, der mit eingelegter Lanzen in einem Turnier seinem Mann begegnet; er war so fertig[52], daß das Türaufmachen, das Hineintreten und der Anbruch des strengen[53] Wasserflusses in einem Augenblick miteinander geschahe, in Ansehung und Gegenwart des ganzen Frauenzimmers. Was nun beide Teil gedacht und wie sie allerseits erschrocken, mag jeder bei sich selbst erachten; ich kriegte Stöße, weil ich die Ohren nicht besser aufgetan; der Offizier aber hatte Spott darvon, daß er nicht anders mit mir geredet.«

Das IV. Kapitel

Der Autor gerät unter einen Haufen Zigeuner und erzählet den Aufzug der Courage

Ich sagte zum Simplicio, es wäre schad, daß er diese Historia nicht auch in seine Lebensbeschreibung eingebracht hätte; er aber antwortet' mir, wann er alle seine so beschaffne Begegnussen hineinbringen hätte sollen, so wäre sein Buch größer worden als des Stumpfen Schweizerchronik[1]; überdas reue ihn, daß er so viel lächerlich Ding hineingesetzt, weil er sehe, daß es mehr gebraucht werde, anstatt des Eulnspiegels[2] die Zeit dardurch zu verderben[3], als etwas Guts daraus zu lernen. Darauf fragte er mich, was ich selbst von seinem Buche hielte und ob ich dardurch geärgert[4] oder gebessert worden wäre. Ich antwortet', mein Iudicium wäre viel zu gering, entweder dasselbige zu schelten oder zu loben, und ob ich gleich nit wider das Buch, sonder ihn – Simplicissimum selbsten – schreiben müssen, dabei auch des Springinsfelds nicht zum rühmlichsten gedacht worden, so hätte ich doch das Buch weder gelobt noch getadelt, sonder damals gelernet, daß derjenig, so übermannet sei, sich nach derjenigen Willen und Anmutung[5] schicken[6] müßte, in deren Gewalt er sich befände. Als ich dieses gesagt und meiner Muttersprach nach ziemlich schweizerisch geredet, welche Mundart andere Teutsche for grob, ja zum Teil gar for hoffärtig und unhöflich zu halten pflegen, Springinsfeld aber solches mit angehöret, als welcher die Ohren wie ein alter Wolf spitzte, da ich ihn nennete, sagte er: »Potz grütz, du Gölschnabel! Hätt ich di dussa, ich wottar da Garint rüra!«[7] Aber Simplicius antwortet' ihm: »Ich hätte schier gesagt, du alter Geck! Es ist nit mehr um die Zeit, die wir zu Soest belebten[8] und unserm Mutwillen nach gleichsam über das ganze Land herrschten; du mußt jetzt mit deiner Stelzen nach einer andern Pfeifen tanzen[9] oder gewärtig sein, wann du es zu grob machst, daß man dir einen steinernen[10] oder wohl gar einen spanischen Mantel[11] anlegt! In dieser freien Stadt[12] stehet jedem zwar auch frei, zu reden, was er will, wer aber über die Schnur hauet[13], der muß es auch verantworten oder büßen.« Mich hingegen fragte Simplicius, wer oder was mich dann gemüßiget hätte, wider seine Person zu schreiben; und sonderlich verwundere ihn, daß auch neben ihm des Springinsfelds gedacht werden müssen, neben welchem er doch die Tage seines Lebens über dreiviertel Jahr nicht zugebracht. Ich antwortete: »Wann ihm mein hochgeehrter Herr (wie ich mich dann keines andern versehe[14]) die Wahrheit gefallen lassen und mir, was ich getan, verzeihen, zumalen auch vor diesem importunen[15] Springinsfeld, dessen Humor[16] und ohngewichtiger[17] Sinn mir vorlängst andiktiert[18] worden, versichern will, so will ich ihnen beeden so wunderliche Geschichten von ihnen selbsten erzählen, daß sie sich auch beide selbst darüber verwundern sollen; mit Versicherung, wann ich meinen hochgeehrten Herren von solchen löbl. Qualitäten beschaffen zu sein gewußt hätte, als ich jetzunder vor Augen sehe, daß ich seinetwegen keine Feder angesetzt haben wollte, und sollten mir gleich die Zigeuner den Hals zerbrochen haben.«

Ob nun gleich Simplicius ein groß Verlangen hatte zu hören, was ich vorbringen würde, so sagte er doch zuvor: »Mein Freund! Es wäre ein dumme Unbesonnenheit, ja wider alle Gerechtigkeit, und die Darstellung[19] eines tyrannischen Sinns, wann wir an andern strafen wollten um Sachen, die wir selbst begangen. Hat er in seinem Schreiben meine Laster gerüttelt[20], so übertrage[21] ich's billig mit Geduld, dann ich habe andern die ihrige (doch daß es ihnen an ihren Ehren nicht nachteilig sein kann) unter fremden Namen auch rechtschaffen durchgehechelt[22]. Vertreußt[23] es diejenige, so ich getroffen, warum haben sie dann nicht tugendlicher gelebt, oder warum haben sie mir Ursach gegeben, solche Laster und Torheiten zu tadeln, die mir, ehe ich sie gesehen, in meiner Unschuld ganz unbekannt gewesen? Er erzähle nur her, ich versprich und versichere alles, was Er von mir begehrt und gebeten.« Ich antwortet': »Ich möchte gleich reden oder schweigen, so würde doch bald weltkündig werden, was ich zu schreiben mich zwingen lassen müssen.«

Darauf wandt ich mich gegen dem Springinsfeld und fragte ihn, ob er in Italia nicht eine Matresse[24] gehabt, die Courage genannt worden. Er antwortet': »Ach die Bluthex! Schlag sie der Donner! Lebt das Teufelsviehe noch? Es ist kein leichtfertigere Bestia[25] seit Erschaffung der Welt von der lieben Sonnen niemal beschienen worden!« »Ei, ei«, sagte Simplicius zu ihm, »was seind das abermal for leichtfertige, unbesonnene Wort?« Zu mir aber sprach er: »Ich bitte, Er fahre doch nur fort, oder Er fahe[26] doch vielmehr an zu erzählen, was ich so herzlich zu hören verlange.« Ich antwortet': »Mein hochgeehrter Herr wird sich bald müd gehört haben, dann dieses ist eben diejenige, deren er im sechsten Kapitul des fünften Buchs seiner Lebensbeschreibung selbst gedacht hat.« »Es gilt gleich«, antwortet' Simplicius, »Er sage nur, was Er von ihr weiß, und schone meiner auch nit.« Auf solches erzählete ich folgendergestalt, was Simplicius wissen wollte.

»Gleich auf nächstverstrichenen Herbst, da es, wie bekannt, einen ausbündigen[27] Nachsommer setzte, war ich auf dem Weg begriffen, mich aus meinem Vaterland gegen den Rheinstrom, und zwar auf hieher, zu begeben, entweder als ein armer Schüler präzeptorsweis[28], wie es hier gebräuchlich, meine Studien fortzusetzen oder auf Rekommendation meiner Verwandten, von denen ich zu solchem Ende Schreiben bei mir hatte, einen Schreiberdienst zu bekommen. Da ich nun auf der Höhe des Schwarzwaldes von Krummenschiltach[29] hieherwarts wanderte, sahe ich von weitem einen großen Haufen Lumpengesindel gegen mir avancieren[30], welches ich im ersten Anblick für Zigeiner erkennete, mich auch nicht betrogen fande; und weil ich ihnen nit trauete, verbarg ich mich in eine Hecke[31], da sie zum allerdicksten war. Aber weil diese Bursch viel Hunde, sowohl Stäuber[32] als Winde[33], bei sich hatten, spürten mich dieselbigen gleich, umbstellten mich und schlugen an, als wann ein Stuck Wildbret verhanden gewest wäre. Das höreten ihre Herren alsobalden und eileten mit ihren Püchsen[34] oder langen Schnapphahnen-Röhren[35] auf mich zu; einer stellte sich hieher, der andere dorthin, wie auf einem Gejaid[36], da man dem bestäten[37] und aufgetriebenen[38] Wild aufpasset. Als ich nun solche meine Gefahr vor Augen sahe, zumalen die Hunde auch allbereit an mir zu zwacken anfiengen, da fieng ich auch an zu schreien, als wann man mir allbereit das Waidmesser[39] an die Gurgel gesetzt hätte; hierauf liefen beides[40] Männer, Weiber, Knaben und Mägdlein herzu und stellten sich so werklich[41], daß ich nicht schließen konnte, ob mich das garstige Volk umbringen oder von den Hunden erretten wollte. Ja, ich bildete mir vor Forcht ein, sie ermordeten die Leute, die sie dergestalt wie mich an einsamen Orten betreten[42], und zehrten sie hernach selbst auf, damit ihre Totschläge verborgen blieben. Es gab mich auch, wie noch[43], Wunder[44], und ich verfluchte das Zusehen derjenigen, denen das Wild und die jagdbare Gerechtigkeiten zuständig[45], daß sie ihre Länder mit bei sich habenden Hunden und Gewehr von diesem beschreiten[46] Diebsgesindel also durchstreichen lassen!

Da ich mich nun solchermaßen zwischen ihnen befande wie ein armer Sünder, den man jetzt aufknüpfen will, so daß er selbst nicht weiß, ob er noch lebendig oder bereits halb tot seie, siehe, da kam ein prächtige Zigeunerin auf einem Maulesel dahergeritten, dergleichen ich mein Tage nicht gesehen, noch von einer solchen gehöret hatte; wessentwegen ich sie dann, wo nicht gar for die Königin, doch wenigst for eine vornehme Fürstin aller anderer Zigeunerinnen halten mußte. Sie schiene eine Person von ungefähr sechzig Jahren zu sein, aber wie ich seithero nachgerechnet, so ist sie ein Jahr oder sechs[47] älter; sie hatte nicht so gar wie die andere ein bechschwarzes[48] Haar, sonder etwas falb, und dasselbe mit einer Schnur von Gold und Edelgesteinen wie mit einer Kron zusammengefaßt, an dessen Statt andere Zigeunerinn' nur einen schlechten Bändel oder, wann's wohl abgehet[49], einen Flor[50] oder Schleier oder auch wohl gar nur eine Weide[51] zu brauchen pflegen. In ihrem annoch frischem Angesicht sahe man, daß sie in ihrer Jugend nicht häßlich gewesen; in den Ohren trug sie ein Paar Gehenk von Gold und geschmelzter Arbeit[52] mit Diamanten besetzt, und um den Hals eine Schnur voll Zahlperlen[53], deren sich keine Fürstin hätte schämen dörfen; ihre Serge[54] war von keinem groben Teppich, sonder von Scharlach[55] und durchaus mit grünem Plischsammet[56] gefüttert, nebenher aber wie ihr Rock, der von kostbarem grünem englischem Tuch war, mit silbernen Posamenten[57] verprämt[58]; sie hatte weder Brust[59] noch Wams[60] an, aber wohl ein Paar lustiger[61] polnischer Stiefel; ihr Hemd war schneeweiß, von reinem Auracher[62] Leinwat[63], überall um die Nähte mit schwarzer Seiden auf die böhmische Manier ausgenähet, woraus sie hervorschiene wie eine Heidelbeer in einer Milch; so trug sie auch ihr langes Zigeunermesser nicht verborgen unterm Rock, sondern offentlich, weil sich's seiner Schöne wegen wohl damit prangen ließe; und wann ich die Wahrheit bekennen soll, so bedünkt mich noch, der alten Schachtel seie dieser Habit[64], sonderlich zu Esel (hätte schier ›zu Pferd‹ gesagt), überaus wohl angestanden; wie ich sie dann auch noch bis auf diese Stund in meiner Einbildung sehen kann, wann ich will.«

Das V. Kapitel

Wo Courage dem Autor ihre Lebensbeschreibung diktiert

»Nun, diese tolle Zigeunerin, welche von den andern eine gnädige Frau genannt, von mir aber for ein Ebenbild der Dame von Babylon[1] gehalten wurde, wann sie nur auf einem siebenköpfigen Drachen gesessen und ein wenig schöner gewesen wäre, sagte zu mir: ›Ach mein schöner, weißer, junger Gesell, was machstu hier so gar allein und so weit von den Leuten?‹ Ich antwortet': ›Mein großmächtige, hochgeehrte Frau, ich komm von Haus aus dem Schweizerlande und bin willens, an den Rheinstrom in eine Stadt zu reisen, entweder daselbst ein mehrers zu studieren oder einen Dienst zu bekommen, dann ich bin ein armer Schuler.‹ ›Daß dich Gott behüte, mein Kind‹, fragte sie, ›wolltestu mir nicht ein Tag oder vierzehn mit deiner Feder dienen und etwas schreiba‹ Ich wollte dir alle Tag ein Reichstaler geben.‹ Ich gedachte: ›Alle Tag ein Taler wäre nicht zu verachten, wer weiß aber, was du schreiben sollst? So großes Anerbieten ist for suspekt[2] zu halten.‹ Und wann sie nicht selbst gesagt hätte, daß mich Gott behüten sollte, so hätte ich vermeinet, es wäre ein Teufelsgespenst gewesen, das mich durch solches Geld verblenden und in die leidige Kongregation[3] der Hexenzunft hätt einverleiben wollen. Meine Antwort war: ›Wann es mir nichts schadet, so will ich der Frauen schreiben, was sie begehrt.‹ ›Ei wohl nei[4], mein Kind‹, sagte sie hierauf, ›es wird dir gar nichts schaden, behüt Gott, komm nur mit uns; ich will dir darneben auch Essen und Trinken geben, so gut ich's hab, bis du fertig sein wirst.‹

Weil dann mein Magen ebenso leer von Speisen als der Beutel öd von Geld, zumalen ich bei diesem Diebsgeschmeiß[5] wie ein Gefangner war, siehe, so schlendert' ich mit dahin, und zwar in einem dicken Wald, da wir die erste Nacht logierten, allwo sich allbereit etliche Kerl befanden, die einen schönen Hirsch zerlegten. Da gieng es nun an ein Feuermachens, Siedens und Bratens; und soviel ich sahe, auch hernach vollkommen versichert wurde, so hatt die Frau Libuschka[6], dann also nennete sich meine Zigeunerin, alles zu kommandiern; dieser wurde ein Zelt von weißem Barchet[7] aufgeschlagen, welches sie auf ihrem Maulesel underm Sattel führet'. Sie aber führte mich etwas beiseits, setzte sich unter einen Baum, hieße mich zu ihr sitzen und zog des Simplicissimi Lebensbeschreibung hervor. ›Seht da, mein Freund‹, sagte sie, ›dieser Kerl, von dem dies Buch handelt, hat mir ehemalen den größten Schabernack angetan, der mir die Tage meines Lebens jemal widerfahren, welches mich dergestalt schmirzt, daß mir unmüglich fällt, ihme seine Büberei[8] ungerochen[9] hingehen zu lassen; dann nachdem er meiner gutwilligen Freundlichkeit genug genossen, hat sich der undankbare Vogel (mein hochgeehrter Herr verzeihe mir, daß ich ihr eigne Wort brauche) nicht gescheut, nicht allein mich zu verlassen und durch einen zuvor nie erhörten schlimmen Possen abzuschaffen[10]; sonder er hat sich auch nicht geschämet, alle solche Handlungen, die zwischen mir und ihm vorgangen, beides mir und ihm zu ewiger Schand, der ganzen Welt durch den offentlichen Druck zu offenbaren. Zwar hab ich ihm seine erste an mir begangene Leichtfertigkeit bereits stattlich eingetränkt; dann als ich vernommen, daß sich der schlimme Gast verheuratet, hab ich ein Jungferkindchen[11], welches meine Kammermagd ebendamals aufgelesen[12], als er im Sauerbrunnen mit mir zuhielte[13], auf ihn taufen und ihm vor die Tür legen lassen, mit Bericht, daß ich solche Frucht von ihm empfangen und geboren hätte, so er auch glauben, das Kind zu seinem großen Spott annehmen und erziehen und sich noch darzu von der Obrigkeit tapfer strafen lassen müssen; for welchen Betrug, daß er mir so rechtschaffen angangen, ich nicht 1000 Reichstaler nähme, vornehmlich, weil ich erst neulich mit Freuden vernommen, daß dieser Bankert[14] des betrogenen Betriegers einiger[15] Erb sein werde.‹«

Simplicius, so mir bisher andächtig zugehöret, fiele mir hier in die Red und sagte: »Wann ich noch wie hiebevor in dergleichen Torheiten meine Freude suchte, so würde mir's keine geringe Ergetzung sein, daß ihr diese Närrin einbildet, sie habe mich hiemit hinders Liecht geführt[16], da sie mir doch dadurch den allergrößten Dienst getan und sich noch mit ihrem eitlen Kützlen[17] bis auf diese Stund selbst betreugt[18]; dann damals, als ich sie karessierte[19], lag ich mehr

bei ihrer Kammermagd als bei ihr selbsten; und wird mir
viel lieber sein, wann mein Simplicius (dessen ich nicht ver-
leugnen kann, weil er mir sowohl im Gemüt nachartet[20] als
im Angesicht und an Leibsproportion gleichet) von derselben Kammermagd als[21] einer losen Zigeunerin geboren sein
wird. Aber hierbei hat man ein Exempel, daß oft diejenige,
so andere zu betriegen vermeinen, sich selbst betriegen und
daß Gott die große Sünden – wo kein Besserung folgt – mit
noch größern Sünden zu strafen pflege, davon endlich die
Verdammnus desto größer wird; aber ich bitte, Er fahre in
seiner Erzählung fort; was sagte sie ferners?«
Ich gehorchte und redet weiters folgendermaßen: »Sie be-
fahle mir, ich sollte mich ein wenig in meines hochgeehrten
Herrn Lebensbeschreibung informiern, um mich darnach
haben zu richten[22], dann sie wäre willens, ihren Lebenslauf
auf eben diese Gattung durch mich beschreiben zu lassen,
um solche gleichfalls der ganzen weiten Welt zu kommuni-
zieren[23], und das zwar dem Simplicissimo zu Trutz[24], damit jedermann seine begangene Torheit belache. Ich sollte
mir, sagte sie, alle andere Gedanken und Sorgen, die ich
etwan for diesmal haben möchte, aus dem Sinn schlagen,
damit ich diesem Werk desto besser obliegen[25] möchte; sie
wollte indessen Schreibzeug und Papier zur Hand bringen
und mich nach vollendter Arbeit dergestalt belohnen, daß
ich zufrieden mit ihr sein müßte.
Also hatte ich die zween ersten Täge anderst nichts zu tun,
als zu lesen, zu fressen und zu schlafen, in welcher Zeit ich
auch meines hochgeehrten Herrn Lebensbeschreibung ganz
expedierte[26]; da es aber den dritten Tag an ein Schreibens
gehen sollte, wurde es unversehens Alarm; nit daß uns jemand angegriffen oder verfolgt hätte, sonder als ein einzige
Zigeinerin in Gestalt eines armen Bettelweibs ankam, die
eine reiche Beut von Silbergeschirr, Ringen, Schaupfenni-
gen[27], Göttelgeld[28] und allerhand Sachen, so man den Kindern zur Zierde um die Hälse zu hängen pflegt, erschnappt
hatte. Da war ein seltzam Gewelsch[29] zu hören und ein
geschwinder Aufbruch zu sehen; die Courage[30] (dann also

31

nennet' sich diese allervornehmste Zigeinerin selbst in ihrem
»Trutz Simplex«[31]) stellte die Ordre[32] und teilet' das Lumpengesindel in underschiedliche Troppen aus, mit Befelch,
welche Wege diese oder jene brauchen, auch wie, wo und
wann sie wieder an einem gewissen Ort, den sie ihnen bestimmte, zusammenkommen sollten. Als nun die ganze Compagnie[33] sich in einem Augenblick wie Quecksilber zerteilt
und verschwunden, gieng Courage selbst mit den fertig-
sten[34], und zwar eitel wohlbewehrten Zigeinern und Zi-
geinerinnen den Schwarzwald hinunder, in solcher unsäg-
lichen schneller Eil, als wann sie die Sach selbst gestohlen
und ihro deswegen ein ganzes Heer nachgejagt hätte; sie
höret' auch nicht auf zu fliehen, und zwar als[35] auf der
obersten Höhe des Schwarzwalds, bis wir das Schutter-,
Kunzger, Peters-, Noppenauer, Kappler-, Saßwalder- und
Bühler Tal[36] passiert und die hohe und große Waldungen über
der Murg[37] erlangt hatten; daselbst wurde abermal unser La-
ger aufgeschlagen. Mir ward auf derselben geschwinden
Reise ein Pferd undergegeben, darauf mir's nach dem gemeinen[38] Sprichwort ergieng: ›Wer selten reit‹ etc.[39]
Ich merkte wohl, daß diese Suite[40] der Courage, die mit
mir in 13 Pferden und eitel[41] Männern und Weibern, aber
in keinen Kindern bestunde, alles Vermögen der übrigen
Zigeiner, soviel sie an Gold, Silber und Kleinodien zusam-
mengestohlen, mit sich führte und verwahrte; über nichts
verwundert ich mich mehr, als daß diese Leute alle Rick[42],
Weg und Steg an diesen wilden, unbewohnten Orten so
wohl wußten und daß bei diesem sonst unordenlichen Gesindel alles so wohl bestellt[43] war, ja ordenlicher zugieng
als in mancher Haushaltung! Noch dieselbe Nacht, als wir
kaum ein wenig gessen und geruhet hatten, wurden zwei
Weiber in die Landstracht verkleidet und gegen Horb[44] geschickt, Brot zu holen, underm Vorwand, als wann sie solches for einen Dorfwirt einkauften; wie dann ebenfalls ein
Kerl gegen Gernsbach[45] ritte, der uns gleich den andern
Tag ein paar Lägel[46] Wein brachte, die er seinem Vorgeben
nach von einem Rebmann gekauft hatte.

An diesem Ort, mein hochgeehrter Herr Simplice[47], hat die gottlose Courage angefangen, mir ihren »Trutz Simplex«, wie sie es intituliert[48], oder vielmehr ihres leichtfertigen Lebens Beschreibung in die Feder zu diktieren; sie redete gar nicht zigeinerisch, sonder brauchte eine solche Manier, die ihren klugen Verstand und dann auch dieses genugsam zu verstehen gab, daß sie auch bei Leuten gewesen und sich mit wunderbarer Verwandelung der Glücksfäll weit und breit in der Welt umgesehen und viel darin erfahren und gelernet hätte. Ich fande sie überaus rachgierig, so daß ich glaubt', sie sei zu dem Anacharse[49] selbst in die Schul gangen; aus welcher gottlosen Neigung sie dann auch besagtes Traktätel[50], um den Herrn zu verehren[51], zu ihrer eignen Hand[52] hat schreiben lassen; von welchen ich weiters nichts melden, sonder mich auf dasselbige, weil sie es ohn Zweifel bald trucken lassen wird, bezogen haben will.«

Das VI. Kapitel

Der Autor kontinuiert vorige Materia und erzählet den Dank, den er von der Courage for seinen Schreiberlohn empfangen

Simplicius fragte, wie dann Springinsfeld mit ins Gelag kommen wäre[1] und was sie mit ihm zu schaffen gehabt hätte. Ich antwortet': »Soviel ich mich noch zu erinnern weiß, ist sie, wie ich bereits gemeldet, in Italia seine Matreß oder allem Ansehen nach er vielmehr ihr Knecht gewesen; maßen sie ihm auch (wann es anders wahr ist, was mir diese Schandvettel[2] angeben) den Namen ›Springinsfeld‹ zugeeignet.« »Schweig, daß dich der Hagel erschlag, du Schurk«, sagte Springinsfeld, »oder ich schmeiß dir Plackscheißer[3], der Teufel soll sterben, die Kandel übern Kopf, daß dir der rote Saft hernachgehet[4]«; und seine Wort wahr zu machen, erdappte er die Kandel, aber Simplicius war ebenso geschwind und weit stärker als er, auch eines andern Sinns enthielte ihne derowegen vorm Streich, und betrohete ihr zum Fenster hinauszuwerfen, wann er nicht zufrieden sein wollte. Indessen kam der Wirt darzu und gebote uns der Frieden, mit austrucklicher Anzeigung[5], wann wir nich still wären, daß bald Turnhüter[6] und Fausthämmer[7] vorhanden sein würden, die den Ursächer[8] solcher Händel oder wohl gar uns alle drei an ein ander Ort führen sollten Ob ich nun gleich hierauf vor Angst zitterte und so still wurde wie ein Mäusel[10], so wollte ich doch gleichwohl die Scheltwort nicht auf mir haben[11], sonder zum Ammeister[12] gehen und mich der empfangnen Injuri[13] halben beklagen; aber der Wirt, so Springinsfelds Dukaten gesehen und einige davon zu kriegen verhoffte, sprach mir neben Simplicio so freundlich zu, daß ich's underwegen ließe, wiewohl Springinsfeld noch immerhin wie ein alter, böser Hund gegen mir griesgramete[14]; zuletzt wurde der Verglich gemacht, daß ich dem Springinsfeld auf beschehene Abbitt die empfangne Schmach vergeben und hingegen sein und Simplici Gast sein sollte, solang ich nur selber wollte.

Nach diesem Vertrag fragte mich Simplicius, wie ich dann wieder von den sogenannten Zigeinern hinwegkommen wäre und mit was for Geschäften dieselbige ihre Zeit in den Wäldern passiert hätten. Ich antwortet': »Mit Essen, Trinken, Schlafen, Tanzen, Herumrammlen[15], Tabaksaufen[16], Singen, Ringen, Fechten und Springen. Der Weiber größte Arbeit war Kochen und Feuern[17], ohne daß[18] etliche alte Hexen hie und da saßen, die junge im Wahrsagen oder vielmehr im Ligen zu underrichten. Teils[19] Männer aber giengen dem Gewild nach, welches sie ohne Zweifel durch zauberische Segen zum Stillstehen zu bannen und mit abgetöten[20] Pulver, das nicht laut kläpfte[21], zu fällen wußten, maßen ich weder an Wild noch Zahm[22] keinen Mangel bei ihnen verspüren konnte. Wir waren kaum zween Tag dort still gelegen, als sich wieder eine Partei[23] nach der andern bei uns einfande, darunter auch solche waren, die ich bishero noch nicht gesehen; etliche (die zwar nit beim besten empfangen wurden) antizipierten[24] bei der Courage (ich schätze aus ihrem allgemeinen Säckel) Geld, andere aber brachten Beutel, und kein Teil gelangte an, das nicht entweder Brot, Butter, Speck, Hühner, Gäns, Enten, Spanferkel, Geißen, Hämmel oder auch wohl gemäste Schwein mit sich gebracht hätte; ohne eine[25] arme, alte Hex, welche anstatt der Beuten einen himmelblauen Buckel mitbracht, als die über der verbotenen Arbeit erdappt und mit trefflichen Stößen und Schlägen abgefertigt worden war. Und ich schätze, wie dann leicht zu gedenken, daß sie obengedachte zahme Schnabelweid[26] und das kleine Viehe entweder in oder um die Dörfer und Baurenhöfe hinweggefüchslet[27] oder hin und wieder[28] von den Herden hinweggewölfelt[29] haben. Gleichwie nun täglich solche Compagnien bei uns ankamen, also giengen auch alle Tag wieder einige von uns hinweg; zwar nicht alle als Zigeiner, sonder auch auf andere Manieren bekleidet, je nachdem sie meines Daforhaltens ein Diebsstück zu verrichten im Sinn hatten; und dieses, mein hochgeehrter Herr, waren die Geschäfte der Zigeiner, die ich, solang ich bei ihnen gewesen, observiert[30] habe.

Wie ich aber wieder von ihnen kommen, das will ich meinem hochgeehrten Herrn, weil er's zu wissen verlangt, jetzunder auch erzählen, ob mir gleich die gehabte Kundschaft[31] mit der Courage zu ebenso geringen Ehren gereicht als dem Springinsfeld oder dem Simplicissimo selbsten.

Ich dorfte täglich über 3 oder 4 Stund nicht schreiben, weil Courage nicht mehr Zeit nahm, mir zu diktieren; und alsdann möchte ich mit andern spazieren gehen, spielen oder andere Kurzweil haben, worzu sich dann alle gar geneigt und gesellig gegen mir erzeigten; ja die Courage selbst leiste mir die mehriste Gesellschaft, dann bei diesen Leuten findet durchaus einige Traurigkeit, Sorg oder Bekümmernus keinen Platz. Sie ermahnten mich an die Marder und Füchse, welche in ihrer Freiheit leben und auf den alten Kaiser[32], doch vorsichtig und listig genug, hinein stehlen, wann sie aber Gefahr vermerken, ebenso geschwind als vorteilhaftig sich aus dem Staub machen. Einsmals fragte mich Courage, wie mir dies freie Leben gefiele; ich antwortet': ›Überaus wohl!‹; und obgleich alles erlogen war, was ich gesagt, so henkte ich jedoch noch ferner dran, daß ich mir schon nicht nur einmal gewünscht, auch ein Zigeiner zu sein. ›Mein Sohn‹, sagte sie, ›wann du Lust hast, bei uns zu bleiben, so ist der Sach bald geholfen.‹ ›Ja, mein Frau‹, antwortet' ich, ›wann ich auch die Sprache könnte.‹ ›Dies ist bald gelernet‹, sagte sie, ›ich hab sie ehe als in einem halben Jahr begriffen! Bleibt Ihr nur bei uns, ich will Euch eine schöne Beischläferin zum Heurat verschaffen.‹ Ich antwortet', ich wollte noch ein paar Tag mit mir selbst zu Rat gehen und bedenken, ob ich sonst irgends ein besser Leben als hier zu kriegen getraute[33]; des Studierens und Tag und Nacht über den Büchern zu hocken wäre ich schon vorlängsten[34] müd worden, so möchte ich auch nicht arbeiten, viel weniger erst ein Handwerk lernen; ohne[35] (welches das Schlimmste wär) daß ich auch ein schlecht[36] Patrimonium[37] von meinen Eltern zu hoffen hätte. ›Du hast einen weisen Menschensinn, mein Sohn‹, sagte das Rabenaas weiters, ›und kannst leicht hierbei abnehmen[38] und probieren, was unser Manier zu leben vor anderer Menschen Leben for einen Vorzug habe, wann du nämlich siehest, daß kein einzig Kind aus unserer Jugend zu dem allergrößten Fürsten gieng, der es aufnehmen und zu einem Herrn machen wollte; es wurde alle solche hohe fürstliche Gnaden for nichts schätzen, die doch andere knechtisch gesinnte Menschen so hoch verlangen!‹ Ich gab ihr gewonnen und gedachte doch bei mir selber, was ihr Springinsfeld gewünscht[39], und indem ich ihr diesergestalt das Maul machte[40], als wann ich bei ihr verbleiben wollte, hoffte ich desto ehender die Freiheit, mit andern auszugehen, und also Gelegenheit zu bekommen, mich wieder von ihr abzuscheiblen[41].

Eben umb dieselbe Zeit kam eine Schar Zigeiner, die brachten eine junge Zigeinerin mit sich, die schöner war, als die Allerschönste aus diesen Leuten zu sein pflegen; diese machte sowohl als andere bald Kundschaft zu mir (dann man muß wissen, daß unter dieses Volks ledigen Leuten wegen ihres Müßiggangs die Löffelei⁴² eine Gewohnheit ist, deren sie sich weder zu schämen noch zu scheuen pflegen) und erzeigte sich so freundlich, holdselig und liebreizend, daß ich glaube, ich wäre angangen⁴³, wann mich nicht die Sorg, ich würde auch hexen lernen müssen, darvon abgeschröckt und ich nicht zuvor der Courage Leichtfertigkeit und lasterhaftes Leben aus ihrem eignen Maul gehört hätte; eben darumb traute ich desto weniger und sahe mich desto besser vor, doch erzeigte ich mich gestältiger⁴⁴ gegen ihr als gegen einer andern. Sie fragte mich gleich nach gemachter Kundschaft, was ich der Frau Gräfin, dann also nannte sie die Courage, zu schreiben hätte. Als ich ihr aber die Antwort gabe, es wäre ohnnötig, daß es die Jungfer wüßte, war sie nit allein wohl damit zufrieden, sonder ich merkte auch an der Courage selbsten meiner Einbildung nach, daß sie solche Frag an mich zu tun befohlen und also meine Verschwiegenheit probiert⁴⁵ hatte, dann sie ward mir immer je freundlicher, wie ich Narr vermeinte.

Damals war ich allbereit in 14 Tagen nicht mehr aus den Kleidern kommen, wessentwegen sich dann die Müllerflöhe⁴⁶ häufig bei mir einfanden, welches heimliche Leiden ich meiner Jungfer Zigeinerin klagte. Dieselbe lachte mich anfänglich gewaltig aus und nannte mich einen einfaltigen Tropfen; aber den andern Morgen brachte sie eine Salbe, welche alle Läuse vertreiben würde, wann ich mir darmit nackend bei einem Feuer, der Zigeiner Gewohnheit nach, wollte schmieren lassen, welche Arbeit sie, die Jungfer, auch gern verrichten wollte. Ich schämte mich aber viel zu sehr und sorgte darneben, es möchte mir gehen wie Apulejo⁴⁷, welcher durch dergleichen Schmiersalb in ein Esel verwandelt worden. Indessen quälte mich aber das Ungeziefer so greulich, daß ich's nicht mehr erleiden kunde; dannenhero ward ich gezwungen, diese Salbung zu gebrauchen, doch mit dieser Kondition⁴⁸, daß sich die Jungfer zuvor von mir schmieren lassen sollte, und alsdann wollte ich ihr nachfolgen und ihr auch stillhalten. Zu solcher Verrichtung nun machten wir uns etwas fern von unserm Läger ein absonderlichs[49] Feuer und täten dabei, was wir abgeredet hatten.

Die Läuse gingen zwar fort, aber den Morgen früh sahe ich mit Haut und Haar so schwarz aus wie der Teufel selber; ich wußte es noch nicht an mir, bis mich die Courage vexierte[50] und sagte: ›So, mein Sohn, ich sehe wohl, du bist deinem Wunsch nach schon ein Zigeiner worden.‹ ›Ich weiß noch nichts darvon, mein hochgeehrte Frau Mutter‹, antwortet' ich; sie aber sagte: ›Beschaue deine Hände‹, und mit dem[51] ließe sie einen Spiegel holen, in welchem sie mir eine Gestalt wiese, die ich wegen übermäßiger Schwärze selbst nicht mehr for die meinige erkannte, sonder darvor erschrak. ›Diese Salbung, mein Kind‹, sagte sie, ›gilt bei uns so viel als bei den Türken die Beschneidung, und welche dich gesalbet hat, die mußtu auch zum Weib haben, sie gefalle dir gleich oder nicht‹, und mit dem fieng das Teufelsgesindel miteinander an zu lachen, daß sie hätten zerbersten mögen.

Als ich nun sahe, wie mein Handel stunde, hätte ich Stein und Bein zusammenfluchen mögen; aber was wollte oder sollte ich anders tun, als nach deren Willen mich zu akkomodiern, in welcher Gewalt ich damals war? ›Hei‹, sagte ich, ›was geschneidt's[52] dann auch mich? Vermeinet ihr dann wohl, diese Veränderung sei mir so gar ein großer Kummer? Höret nur auf zu lachen und sagt mir darfor, wann ich Hochzeit haben soll.‹ ›Wann du wilt, wann du wilt‹, antwortet' Courage, ›doch dergestalt[53], wann wir auch einen Pfaffen darbei werden haben können.‹

Ich war damals mit der Courage Lebenslauf allbereit fertig, ohne daß ich noch ein paar ich weiß aber nit was for Diebsstück darzu hätte setzen sollen, die sie verübet, seit sie eine Zigeinerin worden. Derowegen begehrte ich gar höflich die versprochene Bezahlung; sie aber sagte: ›Ho, mein Sohn, du bedarfst jetzt kein Geld, es wird dir noch wohl kommen, wann du Hochzeit gehalten haben wirst.‹ Ich gedachte: ›Hat dir's der Schinder in Sinn geben, daß du mich hiermit halten[54] sollst?‹ Und als sie merkte, daß ich etwas sauers darzu sehen[55] wollte, setzte und ordnete[56] sie mich for der ägiptischen Nation obersten Secretarium[57] durch[58] ganz Teutschland und tat Promessen[59], daß mein Heurat mit ihrer Jungfer Basen[60], sobald es mit Gelegenheit gehen würde, vollzogen und mir zwei schöne Pferd zum Heuratgute mitgegeben werden sollten; und damit ich dieses desto steifer[61] glauben sollte, dorfte meine Jungfrau Hochzeiterin nit underlassen, mich mit ihrer gewöhnlichen Freundlichkeit zu underhalten. Diese Geschichte war kaum verloffen[62], als wir aufbrachen und mit guter Ordre fein gemach[63] sambt Weib und Kind etwan selbdreißigst[64] das Biehlertal herundermarschierten, auf welchem Weg Courage ihren stattlichen Habit nit anhatte, sonder auch wie sonst ein andere alte Hex aufzog. Ich war under den Furieren[65] und halfe das Quartier auf etlichen Bauernhöfen machen, in welcher Verrichtung ich mich keine Sau[66], sonder ein vornehmes Mitglied der ansehenlichsten Zigeiner zu sein bedunken ließe. Den andern Tag marschierten wir vollends bis an den Rhein und blieben zunächst[67] an einem Dorf, allwo ein Uberfahrt war, in einen Busch[68] bei der Landstraßen über Nacht, umb den folgenden Tag vollends über Rhein zu gehen. Aber des Morgens, da der schwarze Secretarius erwachte, siehe, da befande sich der gute Herr ganz allein, maßen ihn die Zigeiner und seine Braut so gar verlassen, daß er von ihnen auch sonst nichts als nur die holdselige Farbe zur freundlichen Gedächtnus[69] noch übrig hatte.«

Das VII. Kapitel

Simplicissimi Gaukeltasch[1] und erhaltene treffliche Losung[2]

»Da saße ich nun, als wann mir Gott nit mehr hätte gnädig sein wollen, dem ich gleichwohl zu danken Ursach hatte, daß mich dies lose Gesindel nit gar ermordet und mich im

Schlaf visitiert[3] und mir mein wenig Geld, so ich noch zur Zehrung bei mir trug, genommen. Und Ihr, Springinsfeld, was habt Ihr jetzt mehr for Ursachen, über mich zu kollern[4], der ich doch so freiwillig erzähle, daß mich diese arge Vettel sowohl als Euch betrogen, als deren List und Bosheit gleichsamb kein Mensch, an den sie sich machen will, entgehen kann, wie dann gegenwärtigem ehrlichen Herrn Simplicissimo beinahe selbst widerfahren wäre?« Springinsfeld antwortet' mir: »Nichts, nichts, gar nichts, guter Freund, sei nur zufrieden und hol der Teufel die Hex!« »Mein[5]«, antwortet' ihm Simplicius, »wünsche doch der armen Tröpfin nicht Böses mehr, höerstu nicht, daß sie allbereits ohnedas der Verdammnus nahe, bis über die Ohren im Sündenschlamm, ja allerdings schon gar der Höllen im Rachen steckt? Bete darfor ein paar andächtiger Vaterunser for sie, daß die Güte Gottes ihr Herz erleuchten und sie zu wahrer Buße bringen wolle!« »Was?« sagte Springinsfeld, »ich wollte lieber, daß sie der Donner erschlüg!« »Ach daß Gott walt«, antwortet' Simplicius, »ich versichere dich, wann du nicht anders tust als so, daß ich umb die Wahl, die sich zwischen deiner und ihrer Seligkeit findet, keine Stiege hinunderfallen[6] wollte.« Springinsfeld sagte darauf: »Was geheit's[7] mich?«, aber der gute Sim. schittel' den Kopf mit einem tiefen Seufzen.

Es war damals schier umb 2 Uhr nachmittag, und wir hatten alle drei überflüssig genug gefüttert[8], als Springinsfeld Simplicium fragte, womit er sich doch ernähre und was sein Stand, Handel und Wandel wäre. Er antwortet' ihm: »Das will ich dich sehen lassen, ehe ein halbe Stund vergehet«; und als er kaum das Maul zugetan hatte, kam sein Knan und Meuder sambt einem starken Bauernknecht daher, welche zwei Paar ausgemäste Ochsen vor sich trieben und in Stall stelleten. Er verschaffte[9], daß besagte seine beide Alte alsobalden aus der Kälte in die warme Stub gehen mußten, welche in der Wahrheit[10] aussahen, wie ihre Bilder[11] auf Simpl. »Ewigem Kalender«[12] darstellen; und als der Knecht auch hineinkam, befahl er dem Wirt, daß er ihnen Essen

und Trinken geben sollte; er selbst aber nahm den Sack,
den sein Knecht getragen, und sagte dem Springinsfeld:
»Jetzt komm mit mir, damit du sehest, womit ich mich ernähre.« Mir aber sagte er, wann ich wollte, so könnte ich
wohl auch mitgehen. Also zottelten[13] wir alle drei auf
einen volkreichen Platz, wohin Simpl. einen Tisch, eine
Maß neuen Wein und ein halb Dutzend leere Gläser bringen
ließe; das hatte ein Ansehen[14], als wann wir dorten auf
offenem Markt in der größten Kälte hätten miteinander
zechen wollen. Wir kriegten bald viel Zuseher, behielten
aber keinen beständigen Umbstand[15], dieweil die grimmige
Kälte einen jeden wieder fortzugehen trang[16]. Das sahe
Springinsfeld, sagte derohalben zum Simplicio[17]: »Bruder,
willtu, daß ich dir diese Leute hier stillstehend mache?«
Simpl. antwortet': »Die Kunst kann ich wohl selber, aber
wann du willt, so lasse sehen, was du kannst.« Hierauf
wischte Springinsfeld mit seiner Geige hervür und fieng an
zu agieren[18] und zugleich darunter zu geigen; er machte
ein Maul von 3, 4, 5, 6, ja 7 Ecken, und indem er giege[19],
musizierte er auch mit dem Maul darunter, wie er zuvor
im Wirtshause getan hatte. Da aber die Geige, als welche in
der Wärme gestimmt worden, kein gut in der Kälte mehr
tun[20] wollte, übte er allerhand Tierer Geschrei, von dem
lieblichen Waldgesang der Nachtigallen an bis auf das
förchterlich Geheul der Wölfe, beides inklusive[21], warvon
wir dann ehender als in einer halben Viertelstund einen
Umstand bekamen von mehr als 600 Menschen, die vor
Verwunderung Maul und Augen aufsperrten und der Kälte
vergaßen.

Simpl. befahl dem Springinsfeld zu schweigen, damit auch
er dem Volk sein Meinung vorbringen könnte; als dies geschahe, sagte Simpl. zum Umstand: »Ihr Herren, ich bin
kein Schreier, kein Storger[22], kein Quacksalber, kein Arzt,
sonder ein Künstler! Ich kann zwar nit hexen, aber meine
Künste seind so wunderbarlich, daß sie von vielen for Zauberei gehalten werden. Daß aber solches nit wahr sei, sonder alles natürlicherweis zugehe, ist aus gegenwärtigem

Buche zu ersehen, als worinnen sich genugsame glaubwürdige Urkunden und Zeugnussen dessentwegen befinden werden.« Mit dem zog er ein Buch aus dem Sack und blättert' darin herum, dem Umstand seine glaubwürdige Schein[23] zu weisen, aber siehe, da erschienen eitel weiße Blätter. »So!« sagt' er darüber, »so sehe ich wohl, ich stehe da wie Butter an der Sonnen[24]! Ach«, sagte er zum Umstand, »ist kein Gelehrter unter Euch, der mir einige Buchstaben hineinblasen könnte?« Und demnach[25] zween Stutzer[26] zunächst bei ihm standen, bat er den einen, er sollte ihm nur ein wenig ins Buch blasen, mit Versicherung, daß es ihm weder an seinen Ehren noch an seiner Seligkeit nichts schaden würde. Da derselbe solches getan, blättert' Simpl. im Buch herum, da erschiene nichts anders als lauter Wehr und Waffen. »Ha«, sagte er, »diesen Kavalier gefallen Degen und Pistolen besser als Bücher und Buchstaben; er wird ehender einen praven Soldaten als ein Doktor abgeben. Aber was soll mir das Gewehr in meinem Buch? Es muß wieder hinaus«; und mit dem bliese Simpl. selbst an das Buch, gleichsam als wann er dardurchgeblasen, und wiese darauf dem Umstand wiederum im Umblättern nur weiße Blätter, worüber sich jedermann verwunderte. Der ander Stutzer, der neben erstgedachtem stunde, begehrte von sich selbst, auch in das Buch zu blasen. Als selbiges geschehen, blättert' Simpl. im Buche herum und wiese dem Stutzer und Umstand eitel Cavalliers und Dames. »Sehet«, sagte er, »dieser Kavalier löffelt gern, dann er hat mir lauter junge Gesellen und Jungfern in mein Buch geblasen, was soll mir aber so viel müßige Bursch? Es seind fressende Pfänder[27], die mir nichts taugen; sie müssen wieder fort!«, und alsdann bliese er wieder durch das Buch und zeigte allem Umstand im Umblättern eitel Weißes. Diesem nach ließe Simplicius einen ansehenlichen Burger hineinblasen, aus dessen Ansehen ein großes Vermögen zu vermuten war, hernach umblättert' er das Buch und wiese ihm und dem Umstand lauter Taler und Dukaten, sagende: »Dieser Herr hat entweder viel Geld oder wird bald viel bekommen oder wünscht doch aufs wenigst ein ziemliche Summa zu haben; das, was er hereingeblasen, wird mein sein«; und damit hieße er mich seinen Sack aufhalten, in welchem er wohl 300 zünnene[28] Büchsen hatte. Dahinein bliese er durchs Buch und sagte: »So muß man diese Kerl aufheben«; wiese hernach dem Umstand abermal in seinem Buch nur weiß Papier. Ließe darauf einen andern mittelmäßigen[29] Stands hineinblasen, blättert' im Buch herumer, und als eitel Würfel und Karten erschienen, sagte er: »Dieser spielt gern, hingegen ich nit, darum müssen mir die Karten wieder weg«; und als er selbst wieder durch das Buch geblasen, zeigte er abermal dem Umstand nur weiße Blätter. Ein Fatzvogel[30] unterm Umstand sagte, er könnte lesen und schreiben, er sollte ihn hineinblasen lassen, er wüßte, daß alsdann schöne Testimonia[31] erscheinen würden. »O ja«, antwortet' Simplicius, »diese Ehr kann Euch gleich widerfahren«; hielte ihm demnach das Buch vor, ließe ihn blasen, solang er wollte, und als es geschehen, zeigte er ihm und dem Umstand lauter Hasen-, Esels- und Narrenköpf im Umblättern und sagte: »Wann Ihr sonst nichts als meine und Eure Brüder habt hereinblasen wollen, so hättet Ihr's auch wohl unterweg können lassen.« Das gab ein solches Gelächter, daß man's über das neunte Haus[32] höret e, Simplicius aber sagte, er müsse dies Ungeziefer wieder abschaffen, könnt deren Stell wohl selbst vertreten, und mit dem bliese er wieder durch das Buch und zeigte den Umstand wiederum wie zuvor nur weiße Blätter. »Ach«, sagt' er, »wie bin ich doch so herzlich froh, daß ich dieser Narren wieder los bin worden.« Es stund einer dort, der allbereit mit Kupfer anfing zu handlen[33], zu selbigem sagte Simplicius: »Mein! Blaset doch auch herein, zu sehen, was Ihr könnet.« Er folgte; und als es geschehen war, wiese er ihm und andern sonst nichts als Trinkgeschirr. »Ha!« sagte Simpl., »dies ist meinesgleichen, der trinkt gern, und ich mache gern ›Gesegne Gott‹«; und damit klopfte er auf die Kandel und sagte ferner zu ihm: »Sehct[34], mein Freund, in dieser Kandel steckt ein Ehrentrunk für Euch, der Euch

43

auch bald zuteil werden soll.« Zu mir aber sprach er, ich sollte die Gläser nacheinander einschenken, welches ich auch verrichtete; indessen[35] bliese er wieder durch das Buch, zeigte dem Umstand abermal weiße Blätter und sagte, so viel Trinkgeschirr könnte er for diesmal nit füllen, er hätte selber Gläser genug zu gegenwärtiger seiner einzigen Maß Wein. Endlich ließ er einen jungen Studenten in das Buch blasen, blättert' darauf um und zeigte dem Umstand lauter Schriften. »Haha«, sagte er, »bistu einmal da? Recht, ihr Herren, dies sein meine glaubwürdige Zeugnusse, davon ich Euch zuvor gesagt; diese will ich in dem Buch lassen, gegenwärtigen jungen Herrn aber for einen Gelehrten halten und ihm auch eins bringen, um daß er mir wieder zu meinen trefflichen Urkunden geholfen hat«; und damit steckte er das Buch in Sack und machte seiner Gaukelei[36] ein Ende.

Hingegen ließe er aus dem Umstand[37] eine Büchse aus dem Sack langen und sagte: »Ihr Herren habt verstanden, daß ich mich for keinem Arzt, sonder for einen Künstler ausgebe; das sag ich noch[38], aber gleichwohl kann man mich gar wohl for einen Weinarzt halten; dann die Wein haben auch ihre Krankheiten und Mängel, die ich alle kurieren kann. Ist ein Wein weich[39] und so zähe, daß man ihn aufhasteln[40] könnde, so hilf ich ihm, ehe man zwanzig zählen kann, daß er im Einschenken rauschet und seine Geisterlein[41] über das Glas hinausspringen; ist er rahn[42] und so rot wie ein Fuchs, so bring ich ihm seine natürliche Farb in dreien Tagen wieder; schmeckt er nach einem schimmlichten Faß, so bring ich ihm in wenig Tagen einen solchen Geschmack zuwegen, daß man ihn for Muskateller[43] trinken wird; ist er so sauer, als wann er in Bayrn oder in Hessen gewachsen wäre, und darneben wegen seiner Jugend oder anderer Ursachen halber so trüb[44], daß er die Würmlöcher stopfen[45] und beides for Speis und Trank, wie an teils Orten das nahrhaftig Bier, gebrauchet werden könnte, sehet, ihr Herren, so mache ich ihn alsobalden, daß ihr ihn entweder for Malvasier oder for spanischen oder sonst for dem allerbesten oder doch aufs wenigst for einen guten, alten Wein trinken sollet; und diese Kunst als die allerunglaublichste will ich hie gegenwärtig probieren[46] und Euch deren Gewißheit vor Augen stellen.«

Demnach[47] tät er einer Erbsen groß[48] aus der Büchsen in ein Glas voll Wein und rührete alles untereinander; davon gosse er in das eine Glas einen Tropfen, in das andere 2, ins dritte 3 und ins 4te vier, davon sich der Wein in den Gläsern alsobalden in unterschiedliche Farben veränderte, je nachdem er wenig oder viel Tropfen in ein jedes gegossen hatte; das fünfte Glas Wein aber, darin er nichts gegossen, verblieb, wie es war, nämlich ein neuer, trüber, roher Wein, wie er allererst dasselbe Jahr gewachsen; alsdann ließe er die Vornehmste aus dem Umstand diese Wein versuchen, welche sich alle über diese geschwinde Veränderung und unterschiedliche Geschmack und Arten der Wein verwunderten. »Ja, ihr Herren«, fuhr er weiters fort, »nachdem Ihr nun die Gewißheit dieser Kunst gesehen, so müßt ihr auch wissen, daß einer Erbsen groß dieses Elixiers in eine Maß und ein solche Büchse voll in einen Ohmen[49] zu viel sei, den Wein aufs allerhöchste zu verbessern und ihn dem spanischen Wein oder Malvasier gleichzumachen; derjenige neue Wein, den man verändern will, seie dann gar zu sauer. Wer nun Lust hat, lieber einen delikaten als sauren Wein zu trinken, der mag mir heut von diesem Elixier abkaufen, dann morgen findet er ein Büchsel wohl nit mehr feil um 6 Batzen wie heut, sintemal was mir übrig bleibt morgen einen halben Gulden[50] gelten muß; zwar nit eben darum, daß ich so gar nötig Geld brauche, sondern weil ich's mit diesem Elixier mache wie die Sibylla mit ihren Büchern[51].« Wir hatten damals bei 1000 Personen zum Umstand, mehrenteils erwachsene Mannsbilder, und da es an ein Kaufens gieng, hatte Simplicius beinahe nicht Hände genug, Geld einzunehmen und Büchsen hinzugeben; ich aber verspendierte den vorhandenen Wein vollends, den er mir jeweils mit seiner Mixtur nachtemperierte[52]; und ehe ein halb Stund herum war, hatte er allbereit seine Büchsen versilbert und sein gut bar Geld darfor eingenommen, also daß er die halben Teil Leut, so deren noch begehrten, mußte leer hingehen lassen.

Nach diesem Verlauf schaffte er Tischgläser und Kommen[53] wieder an sein Ort, und als er dem Verleiher seinen Willen darfor gemacht[54], giengen wir wieder miteinander in unser Herberg, allwo Simplici Knan die 4 Ochsen allbereit um hundertunddreißig Reichstaler verkauft hatte und fertig war, Simplicio das Geld darzuzählen. »Siehestu nun«, sagte Simplicius zum Springinsfeld, »womit ich mich ernähre?« »Freilich sihe ich's«, antwortet' Springinsfeld; »ich hab vermeinet, ich sei ein Rabbi[55], Geld zu machen, aber jetzt sehe ich wohl, daß du mich weit übertriffst; ja ich glaube, der Teufel selbst sei nur for ein spitzigs Lederlein[56] gegen dir zu rechnen.«

Das VIII. Kapitel

Mit was for einem Beding Simplicissimus den Springinsfeld die Kunst lernete

»Mein Gott! Springinsfeld«, sagte Simpl., »wie hastu doch so gar ein ungeschliffen Maul!« »Das ist noch nichts«, antwortet' Springinsfeld, »ich sage das Halbe nicht heraus, wie mir's ums Herz ist.« »Wie ist dir dann?« fragte jener. »Mir ist schier«, antwortet' Springinsfeld, »(wann ich's nur sagen dörfte), du seiest ein halber Hexenmeister oder habest doch wenigst sonst einen trefflichen Lehrmeister gehabt.« »Und mir«, sagte Simplicius, »ist ganz zu Sinn, und glaube es auch festiglich, du seiest ein ganzer Narr und habest dein Handwerk auch ohne einen Lehrmeister gelernet. Mein! Was geb ich dir for Ursachen, so böse Gedanken von mir zu machen?« »Ich«, antwortet' Springinsfeld, »habe ja heut deine Verblendungen[1] genugsamb gesehen.« Simpl. antwortet' hingegen: »Es ist dir allerdings ein Schand, daß du allbereit so alt, so lang in der Welt herumgeloffen und gleichwohl noch so alber[2] bist, daß du natürliche Kunststück und Wissenschaften, wie du heut an Veränderung des Weins, und schlechte Kinderbossen, davon du heut ein Exempel an meinem Buche gesehen hast, for Zauberei und Verblendungen hälst!« »Ja«, sagte Springinsfeld, »es ist nit nur das; ich sihe, daß dir das Geld gleichsam zuschneiet, daß ich doch[3] mit so großer Müh und Arbeit Pfenning erobern und, wann ich dessen einen Vorrat haben und behalten will, beides an meinem Leib und an meinem Maul ersparen muß.« »Du Phantast!« sprach Simpl., »vermeinest du dann, dies Geld komme mich ohne Schnaubens und Bartwischens[4] an? Meine beide Alte haben die 4 Ochsen mit Mühe und Kosten erziehen und ausmästen, ich aber auch laborieren[5] müssen, bis ich die Materiam verfertigt, daraus ich heut Geld gelöst.« »Was ist's aber mit dem Buch?« fragte Springinsfeld, »ist's keine Verblendung? Läuft nit das kleine Hexenwerk mit unter?«[6] Simpl. antwortet': »Was ist's mit den Taschenspielern und Gauklern? Narren- und Kinderwerk ist's, darüber ihr einfältige Tropfen euch nur deshalber verwundert, weil es euer grober Verstand nicht begreifen kann!« Nach langer solcher Wortwechslung schätzte endlich Springinsfeld den Simplicium glückselig, wann er diese Künste natürlicherweis könnte, und bote ihn 20 Reichstaler an, wann er ihn die Kunst lernete, daß er auch wie er aus einen Buche wahrsagen oder gauklen könnte. »Dann«, sagt' er, »lieber Bruder, ich muß mich mit Bettlen und meiner Geige ernähren, wie vermeinest du wohl, daß es mir so trefflich zustatten kommen würde, wann ich mich irgends bei einer Bauernkürbe[7] oder einer Hochzeit einfinde und meine Zuhörer mit diesem artlichen[8] Stückel belustigen und zur Verwunderung bringen könnte! Würde es nicht zehenmal mehr Heller[9] bei mir setzen[10], als wann ich nur geige und meine alte Possen und Grillen übe?«

»Mein Freund«, antwortet' Simplicius, »es wäre gut, wann du deine alte Bossen und Grillen, wie du es nennest, gar underwegen ließest[11]; dann siehe, du bist allerdings ein

47

siebenzigjähriger Mann, der auf der Gruben gehet[12] und allerdings kein Stund sicher vorm Tod ist; hingegen hastu, wie ich gesehen, ein fein Stück Geld, darmit du dich, so-lang dir Gott das Leben noch gönnen möchte, gar wohl ausbringen[13] kannst. Wann ich in deiner Haut steckte, so begäbe ich mich in einen geruhigen Stand, darin ich mein geführtes Leben bedenken, meine begangene Stücklein be-reuen, mich zu Gott bekehren und ihme nunmehr allein dienen könnte; welches gar füglich irgends in einem Spital[14], darinnen du dir eine Pfründ[15] kaufen könndest, oder et-wan in einem Kloster, da du noch einen Torhüter[16] ab-geben möchtest, beschehen könnte. Es ist mehr als genug getobt und Gott versucht, wann wir bis in das Alter der Welt Torheiten angeklebet[17] und in allerhand Sünden und Lastern gleichsamb wie ein Sau im Morast geschwembt und umbgewälzt haben; aber viel ärger und noch eine größere Torheit ist's, wann wir gar bis ans End darin verharren und nicht einmal an unsere Seligkeit oder an unsere Ver-dambnus[18] und also auch nicht an unsere Bekehrung ge-denken!«

»Närrisch tät ich«, antwortet' Springinsfeld, »wann ich mein Geld, das ich mit großer Müh und Arbeit zusammen-gebracht, in ein Kloster oder Spital steckte, solches zu be-lohnen, damit es mich meiner Freiheit beraubte.« Simplicius hingegen sagte: »Alsdann tustu närrisch, wann du eine ver-meinte Freiheit zu genießen gedenkest, indessen aber ein Knecht der Sünd, ein Sklav des Teufels und also, ach leider, auch ein Feind Gottes verbleibest; ich beharre[19] noch mein vorige Meinung, daß dir nämblich beides ratsamb und nütz-lich wäre, zur Bekehrung zu schreiten, ehe dich der Schlaf der ewigen Nacht und Finsternus überfällt; dann siehe, der Tag hat sich bei dir umb mehr als 20 Jahr als[20] bei mir ge-neiget, und dein spater Abend erinnert dich, ehist[21] schla-fen zu gehen.«

Springinsfeld antwortet': »Bruder, empfang du zwanzig Taler von mir for die begehrte Kunst und lasse die Pfaffen predigen denen, die ihnen gern zuhören; hingegen will ich dir versprechen, daß ich mich gleichwohl auch auf deine Erinnerung bedenken wolle.«

Gleich wie nun in der ganzen Welt sich nichts so eitel[22] und unnütz befindet, das nicht zu etwas Guts könnte employiert[23] und verwendet werden, also gedachte auch Simplicius, durch sein Buch, welches er seine Gaukeltasche nennet', den Springinsfeld zu bekehren; derowegen sagte er zu ihm: »Höre, mein Freund, hieltestu in Ernst darfor, es wäre Zauberei oder wenigst eine geringe Verblendung, als du mich die Kunst auf dem Mark mit dem Buche üben sahest?« Springinsfeld antwortet': »Ja! Und ich glaubte es auch noch, wann ich dich jetzt nicht so gottselig reden hörete.« »Nun dann«, sagte Simplicius, »dieser Rede und dieses Wahns, der dich betrogen, bleib eingedenk bis in dein End, und versprech mir, dich auch desjenigen allweg, sooft du das Buch brauchest, zu erinnern, was ich dir ferner sagen werde; so will ich dich nit allein die vermeinte Kunst umsonst und ohne deine offerierte[24] 20 Reichstaler lernen, sonder ich will dir noch das Buch darzu schenken, ohne welches du auch die Kunst nit wirst üben können.« Springinsfeld fragte, was dann dasjenige für Sachen wären, deren er sich jederzeit bei dem Buch erinnern sollte. Simpl. antwortet': »Wann du erstlich den Zusehern lauter weiße Blätter zeigest, so erinnere dich, daß dir Gott in der heiligen Tauf das weiße Kleid der Unschuld wiederum geschenkt habe, welches du aber seither mit allerhand Sünden so vielmal besudelt habest; weisest du dann die Kriegswaffen, so erinnere dich, wie ärgerlich und gottlos du dein Leben im Krieg zugebracht habest; kommstu an das Geld, so gedenke, mit was for Leibs- und Seelengefahr du demselben nachgestellt; also erinnere dich auch bei den Trinkgeschirren deiner verübten unflätigen[25] Sauferei; bei den Würfeln und Karten, wie manche edle Zeit und Stund du unnützlich damit zugebracht, was for Betrug darbei vorgeloffen und mit was for grausamen Gotteslästerung der Allerhöchste dabei geunehret[26] worden; bei den Knaben und Jungfrauen erinnere dich deiner Hurenjägerei, und wann du an die Nar-

renköpfe kommst, so glaube sicherlich, daß diese ohn allen
Zweifel Narren sein, die sich durch obenerzählte der Welt
Lockungen betrügen und um ihre ewige Seligkeit bringen
lassen; weisestu aber die Schrift auf, so gedenke, daß die
heilige Schrift nicht lüge, die da sagt, daß die Geizige, die
Neidige, Zornsüchtige, Haderkatzen, Balger und Mörder,
die Spieler, die Saufer und die Hurer und Ehebrecher
schwerlich das Reich Gottes werden besitzen und daß dannenhero derjenig einem Narren gleichtue, der sich von solchen Lastern verführen und so schandlich umb sein Seligkeit
bringen lasse. Gleich wie nun die meiste, und zwar die ein-
fältigste von deinen Zusehern vermeinen, sie würden durch
dich verblendet, so doch in Wahrheit nit ist, also bedenke
du hingegen und führe wohl zu Gemüt, daß die allermeiste
von den unverständigen Menschen von dem Teufel und der
Welt durch obige Laster unvermerkt verblendet und in die
ewige Verdammnus gebracht werden.«
»Mein Bruder«, sagte hierauf Springinsfeld, »des Dings ist
gar zu viel; wer zum S. Peter wollte alles im Kopf behalten können?« Simplicius antwortet': »Mein Freund, wann
du das nicht kannst, so wirst du auch nit behalten können,
wie du recht geschicklich mit dem Buch umgehen sollest!«
»Ei«, sagte Springinsfeld, »das will ich schon lernen.« »Und
das Buch«, antwortet' Simpl., »wird dich alsdann auch
schon selber an dasjenig erinnern, waran du meinet- oder
vielmehr deinetwegen gedenken sollest.« »Ich gäbe dir
aber«, sagt' Springinsfeld, »lieber die 20 Reichstaler und
wäre dieser Obligation[27] ledig.« Simplicius antwortet':
»Dies will aber Simplicius nicht tun; nicht allein darumb,
weil das Buch und die Wissenschaft, solches zu gebrauchen,
ohne die begehrte Erinnerung nicht so viel Gelds wert ist,
sonder weil sich Simpl. auch ein Gewissen macht, den geringsten Heller von dir zu nehmen, sintemal er nicht weiß,
wie du dein Geld gewonnen und erobert hast, ja ich gebe
dir das Buch nicht, du versprächest mir dann, dich allweg
dessen zu erinnern, was ich dir gesagt, wann du mir gleich
100 Reichstaler bar daherzahltest.«

Springinsfeld kratzte sich am Kopf und sagte: »Du erweckest bei mir fast ängstige[28] Gedanken; ich sihe, daß du deinen Nutzen und auch meinen Schaden nicht begehrest, ma foi[29], Bruder, es steckt etwas darhinter, das ich nicht verstehe! So viel kann ich schließen, weil du mir mit Annehmung des Gelds nit schädlich zu sein begehrest, daß du es treulich mit mir meinen und das Gebot der Erinnerung, welches ich for ein schwere Bürde gehalten, zu meinen Frommen aufladen werdest; derowegen verspriche ich hiemit, alles dessen eingedenk zu sein, was du von mir for solche Kunst haben willst.« Hierauf zog Simpl. das Buch hervor und zeigte dem Springinsfeld alle Vorteil und Griff[30]; und demnach sie mich auch zusehen ließen, faßte ich die Beschaffenheit desselben so genau ins Gedächtnis, daß ich auch stracks eins dergleichen machen könnte, wie ich dann etliche Tag hernach tät, um solche simplicianische Gaukeltasch[31] der ganzen Welt gemein zu machen.

Das IX. Kapitel

*Tisch- und Nachtgespräch und warum Springinsfeld
kein Weib haben wollte*

Indessen dieser Diskurs[1] und Handlung zwischen Simplicio und Springinsfelden vergieng, näherte sich die Zeit des Nachtessens; ich wollte mir besonder anrichten lassen, aber Simplicius sagte, ich müßte sowohl als Springinsfeld sein Gast sein, jener zwar als ein alter Kamerad und jetziger neuangestandener[2] Lehrjung, ich aber um dessentwillen, daß ich ihm heut so ein annehmliche Botschaft gebracht, daß nämlich sein Sohn Simplicius von der leichtfertigen Courage nicht geboren worden seie; zudem seie auch billig, daß er mich beides, um den Schreiberlohn und was ich sonst seinetwegen bei den Zigeinern ausgestanden, befriedige[3]; da wir nun so miteinander redeten, kam auch der junge Simplicius mit noch einem von seinen Kollegen, als welcher damals in dieser Stadt studierte und seines Vatern Ankunft vernommen hatte; er war auch ein riesemäßiger, langer Kerl allerdings[4] wie sein Vater und sahe ihm von Angesicht so ähnlich, daß ein jeder, der es auch nicht gewußt hätte, unschwer abnehmen könde, daß er sein natürlicher Sohn gewesen, ohnangesehen[5] die elende Courage sich einbildet', sie hätte ihn mit einem fremden Kind so meisterlich betrogen.

Also setzten sich zu Tisch der Knan und die Meuder, der alt und junge Simplicius samt seinem Kameraten, dem Studenten, den er mitgebracht, ich, Springinsfeld und Simplicii Baurenknecht. Der Imb'ß[6] war kurz und gut, weil beide Alte zu Bett eileten, dann sie sagten, ob sie gleich nicht schlafen könnten, so tät ihnen doch die Ruhe wohl, und dannenhero setzte es auch desto weniger Diskursen. Eins gieng vor[7], woraus ich abnahm, daß Springinsfelds Gedächtnus und Verstand, etwas geschwind zu fassen, nit so gar hölzern war; dann als ermeldter Student verlangte, Simplicii Buch zu sehen, das er ihme von etlichen, die auf dem Mark damit agieren[8] sehen, gar verwunderlich hatte beschreiben lassen, ließe er durch den jungen den alten Simplicium bitten, ob er nicht die Ehr haben könnte, solches zu sehen. Aber er antwortet', er hätte solches nicht mehr in seiner Possession[9], doch sagte er zum Springinsfeld, er sollte beiden Studenten weisen, was er heut gelernt hätte. Der zog alsobald das Buch hervür und blättert' den Studenten die weiße Blätter vor den Augen herum, sagende: »Also glatt und unbeschrieben wie dies weiße Papier seind eure Seelen erschaffen und in diese Welt kommen; und derowegen haben euch euere Eltern hieher getan (mit solchen Worten wiese er ihnen die Schriften vor), die Schrift zu lernen und zu studieren; aber ihr Kerl pflegt, anstatt löbliche Wissenschaften zu ergreifen, das Geld vergeblich[10] (hie wiese er ihnen die Geldsorten) durchzujagen[11] und zu verschwenden, dasselbe zu versaufen (hie zeigte er die Trinkgeschirr), zu verspielen (und hie die Würfel und Karten), zu verhuren (hie die Dames und Cavalliers) und zu verschlagen[12] (hie das Gewehr); ich sage euch aber, daß alle diejenige, die solches tun, sein lauter solche Kerl wie ihr hier vor Augen sehet«, und damit zeigte er ihnen die Narren-, Hasen- und Eselsköpfe; und damit wischte er wieder mit dem Buch in Schubsack. Dem alten Simpl. gefiel dieses Stück so wohl, daß er zum Springinsfeld sagte, wann er gewußt hätte, daß er die Kunst so bald und so wohl begreifen würde, so wollte er ihm nicht halber so viel Lehrgeld abgefordert haben.

Wir machten's mit dem Nachtessen, wie oben gemeldet, nicht lang; bei welchem ich in acht nahm, wie freundlich Simpl. seine beide Alte und diese hinwiederum ihn und seinen Sohn ehreten und traktierten[13]; da sahe und verspürte man nichts als Lieb und Treu, und obzwar ein Teil das ander aufs höchste respektierte, so merkte man doch bei keinem einige Forcht, sonder bei jedem blickte ein aufrichtige Verträulichkeit hervür; der junge Simplicius wußte sich gegen allen am artlichsten zu schicken[14], und der Bauernknecht, welches sonst plumpe Grobiani zu sein pflegen, erzeigte mehr Zucht und Ehrbarkeit als mancher eines andern Herkommens, der einen eignen Praeceptorem[15] gehabt, mores[16] zu lernen, so daß ich mich verwunderte, wie der ehemal ganz rohe und gottlos gewesene Simplicissimus seine Haushaltung auf einen solchen reputierlichen[17] Fuß[18] setzen und seine so einfältige als grobe Hausgenossen zu solchen löblichen Sitten gewöhnen können; der Springinsfeld war ganz still, nicht weiß ich, verwundert' er sich auch wie ich oder spintisiert'[19] er über die Geheimnussen, so in der simplicianischen Gaukeltaschen staken, welche ihm meines Dafürhaltens allerhand Nachsinnungen verursachten. Im übrigen ist's gewiß, daß selten ein Tisch mit so unterschiedlich bekleideten Leuten besetzt wird, miteinander zu speisen, als wie damals der unserige war: der Knan sahe aus wie ein alter, ehrbarer Bauernschultheiß[20], die Meuder wie seine Frau Schultheißin, der Bauernknecht wie ihr Sohn, der alt Simplicius, wie ich ihn bereits oben im zweiten Kapitel beschrieben, der jung und dessen Kamerad wie zwei Stutzer, Springinsfeld wie ein Bettler und ich, wie ein armer Plackscheißer oder Präzeptor in seinem abgeschabenen schwarzen Kleide zu sehen[21] pflegt.

Wir wurden zusammen in eine Kammer logiert[22], weil es Simplicius also haben wollte und Springinsfeld den Wirt versicherte, daß er keine Läuse hätte. Diese beide lagen jeder allein, gleich wie hingegen der Knan und die Meuder, die beide Studiosi[23] und ich und der Baurenknecht beisammen schliefen. Dieser hielte mich so hart[24], daß ich ohnangesehen der großen Kälte dieselbige Nacht meine Nase wenig under der Decken behalten konnte. Der alte Simplicius aber erwiese mit Schnarchen, daß er sowohl stark schlafen als viel Essen und Trinken vertauen könnte. Gleich wie wir nun gar zeitlich[25] zu Bett gangen, also verbliebe uns an der winterlangen Nacht viel übrig, daß[26] wir nicht durchzuschlafen vermöchten. Der Knan und die Meuder erwachten zum ersten, und indem jener kröchzet'[27], diese aber mit ihm bappelt'[28], wurden wir übrige allzusammen munder. Da nun Simplicius merkte, daß Springinsfeld wachte, fieng er an mit ihm zu reden, weil er sich der Zeit ihrer alten Kameradschaft und was sich da und dort zwischen ihnen beiden zugetragen erinnerte; dannenhero gab es Ursach zu fragen, wie es ihm seithero ergangen, wo er bisher in der Welt herumgestürzt[29], wo sein Vaterland wäre, ob er daselbsten keine Verwandten oder nicht auch Weib und Kind und etwan irgends eine häusliche Wohnung hätte, warum er so armselig und zerrissen daherziehe, da er doch ein Stückel Geld beisammen hätte etc. »Ach Bruder«, antwortet' Springinsfeld, »wann ich dir alles erzählen müßte, so würde uns der siebenstündige Rest dieser langen Nacht viel zu kurz werden. In meinem Vaterland bin ich zwar kürzlich gewesen; gleich wie ich aber niemal nichts eigens darin besessen, also gönnete es mir auch for diesmal kein bleibende Statt[30], sonder ließe mir die Beschaffenheit meines Zustands raten[31], ich sollte noch ferner wie der flüchtige Mercurius[32] herumwandern; wie ich dann auch daselbst keinen Verwandten von siebenzehen Graden[33], geschweige einige Brüder oder sonst nahe Freund angetroffen; ja, es wollte beinahe niemand meinen Stiefvater kennen, in dessen Heimat ich gleichwohl ihm und seinen Freunden gar genau nachgefragt. Wie wollte ich dann etwas von meines rechten Vaters und meiner Mutter Freundschaft[34] haben erfahren können, von welchen ich nicht eigentlich weiß, wo sie gebürtig gewesen? Weilen dann nun hieraus leicht abzunehmen, daß ich kein eigen Haus vermag, also ist auch leicht zu gedenken, daß ich keine Hausfrau noch Kinder hab; und, Lieber, warumb sollte ich mich mit einer solchen Beschwerung beladen? Daß ich aber meine Batzen zusammenhalte, daran tue ich nit unrecht, seitemal[35] ich beides weiß, wie schwerlich sie zu bekommen und wie tröstlich sie einem im verlassenen und mühseligen Alter seien; und daß ich schließlich so schlecht[36] bekleidet aufziehe, solches geschicht auch nicht ohne sonderbare Ursach, seitemal mein Stamm[37] und Interesse dergleichen Kleidungen und noch wohl schlimmere erfordert.«

»Ich hätte gleichwohl vermeint«, antwortet' Simpl., »wann ich in deiner Haut steckte, es wäre mir ratsamer, wann ich ein Weib hätte, die mir in meinem gebrechlichen Alter vermittelst ehrlicher Lieb und Treu mit Hilf und Rat zu Trost und Statten käme, als dergestalt im Elend herumzukriechen und mich von aller Welt verlassen zu sehen. Wie vermeinestu wohl, daß dir's gehen wird, wann du irgends bettlägerig würdest?« »O Bruder«, sagte Springinsfeld, »dieser Schuch ist an meinen Fuß nicht gerecht[38], dann hätte ich eine Alte, so müßte ich vielleicht mehr an ihr als sie an mir apothekern; wäre sie jung, so wäre ich nur der Deckmantel[39]; wäre sie mittelmäßig[40], so wäre sie vielleicht bös und zanksichtig[41]; wäre sie reich, so wär ich veracht; wäre sie arm, so könnt ich ja wohl denken, daß sie nur meine paar Batzen genommen; geschweige daß ein jeder sich einbilden kann, etwas Rechts werde keinen Stelzfuß nehmen.« »Ach!« antwortet' Simplicius, »wann du jede Hecken fürchten willst, so wirstu dein Lebtag in keinen Wald kommen.«

»Ja, Bruder«, sagte Springinsfeld, »wann du wüßtest, wie übel mir's mit einem Weib gangen, so würdest du dich gar nit verwundern, wann verbrennte Kinder das Feuer förchten.« Simplicius fragte: »Vielleicht mit der leichtfertigen Courage?« »Wohl nein«, antwortet' Springinsfeld, »bei derselbigen hatte ich ein güldene Herrnsach[42], ohnangesehen sie mir gleichsam offentlich aus dem Geschirr schlug[43]; aber was geheite[44] es mich, sie war doch nicht meine Ehefrau.« »Ei pfui«, sagte Simplicius, »rede doch nicht so grob und unbescheiden; denke, daß du bei ehrlichen Leuten seiest; aber höre, wann dich eine etwan betrogen, vermeinestu drumb, es sei kein ehrlich Weib mehr, die treulich mit dir hausen werde?« Springinsfeld antwortete: »Das will ich nicht leugnen; gleichwohl aber ist's gewiß, daß alle Wohltaten, die ein Weib dem Mann zu erzeigen pflegt, teuer genug bezahlt werden müssen; ihre allerbeste Arbeiten, die sie verrichten, verkündigen[45] dem Mann eitel Kösten[46] und beschwerliche Ausgaben; dardurch dasjenige, was der Mann mit Mühe und Arbeit erworben, zum öftern unnützlich verschwendet wird; hab ich ein Weib, so ist nichts Gewissers, als daß mir ein jede von meinen Dukaten hinfort nit mehr als einen Taler gilt; spinnet sie mir und ihr ein Stück Tuch an Leib, so muß ich Flachs, Woll und Weberlohn bezahlen; soll sie mir was kochen, so muß ich Speis, Holz, Salz und Schmalz sambt dem Kuchengeschirr[47] herbeischaffen; wollte sie mir bachen[48], wer muß anders das Mehl hergeben als eben ich? Also auch, wer zahlt Holz, Seif und Wäscherlohn, wann sie mir und ihr das leinen Gerät[49] säubern läßt? Und wie geht's allererst, wann man mit einem Haufen Kindern beladen wird? Welches ich zwar nit erfahren habe, aber auch nicht zu erfahrn begehre; wann nämblich eins krank, das ander gesund, das dritte faul, das vierte mutwillig, das fünfte eselhaftig und das sechste sonst widerspenstig, ungehorsamb und nichtsnutz ist.« Simplicius antwortet': »Du bist halt ein alter Kracher[50], der keines rechtschaffenen Weibs wert ist, du würdest sonst von dem heiligen, von Gott selbst eingesetzten und mit vielen Verhei-

56

ßungen gesegnetem Ehestand weit anderst reden; und gleich wie eine fromme, tugendhafte Frau eine Gabe Gottes und eine Kron und Zierd des Manns ist, also verdrüßt dich, daß dich der gütige Himmel mit keiner solchen gewürdigt hat.« »Wahrhaftig, Simplice«, antwortet' Springinsfeld, »du kannst bei deinen Biren[51] wohl merken, wann andere zeitigen[52].«

Das X. Kapitel

Springinsfelds Herkunft und wie er anfangs in Krieg kommen

»Nun, das sei dann genug von den Weibern geredet«, sagte Simplicius, »seitemal ich sehe, daß ich dich doch nicht anders oder eine zu heiraten persuadiern[1] können; hingegen aber möchte ich wohl von dir vernehmen, wo du gebürtig, wie du in Krieg kommen und wie es dir bishero darinnen ergangen, bis du aus einem so dapfern Soldaten zu einem solchen elenden Stelzer worden seiest.« Springinsfeld antwortet': »So du dich nit gescheuet hast, deinen eignen Lebenslauf aller Welt durch den offenen Truck vor Augen zu legen, so werde ich mich auch nit schämen, den meinigen hier im Finstern zu erzählen; vornehmblich weil bereits offenbar sein soll, was zwischen mir und der Courage vorgangen, die gleichwohl uns beide, wie ich vernehme, miteinander verschwägert[2]; jetzt höre dann deines Schwagers Ankunft[3].

Meine Mutter ist eine Griechin aus Peloponneso[4] von hohem, altem Geschlecht und großen Reichtumben, mein rechter Vater aber ein albanesischer Gaukler und Seiltanzer und darneben von schlechter Ankunft und geringen Mittlen gewesen; als dieser mit einem zahmen Löwen und einem Tromedari[5] in der Gegend, darin meiner Mutter Eltern gewohnet, herumbzohe[6] und beides diese Tier und seine Kunst um Geld sehen ließe, gefiele besagter meiner Mutter, die

damal ein junges Ding von 17 Jahren war, dessen Leibsproportion und Geradigkeit[7] so wohl, daß sie sich gleich in
ihn vernarrete, also daß sie mit Hülf ihrer Ammen einen
Anschlag machte, ihren Eltern ein Stück Geld auszufischen[8]
und mit besagtem meinem Vater wider ihrer Eltern Wissen
und Willen darvonzuziehen; und solches hat ihr auch zu
ihrem Unglück geglückt, unangesehen[9] sie einander auf-
recht[10] geehlicht. Also wurde meine Mutter aus einer seß-
haften, vornehmen Damen eine umschweifende Komödiantin[11], mein Vater ein halber Junker und ich selbst die erste
und letzte Frucht dieser ersten Ehe, sintemal mein Vater,
da ich kaum geboren worden, von einem Seil herunderstür-
zet' und den Hals zerbrach, durch welchen leidigen Fall
meine Mutter also zeitlich zu einer Wittib wurde.
Zu ihren erzörnten Eltern hatte sie das Herz nit wieder
heimzukehren, ohne daß[12] sie sich damaln auch über die
hundert Meilen von denselbigen in Dalmatia[13] bei einer
Compagniae[14] Komödianten befande; hingegen war sie
schön, jung und reich und hatte dannenhero unter meines
Vatern hinderlassenen Kameraten viel Werber. Von dem sie
sich freien ließe, der war ein geborner Sklawonier[15] und
der Allerfertigste[16] in derjenigen Profession[17], die mein Vater geübt hatte. Dieser zohe mich auf, bis ich das elfte Jahr
erreichte, und lehrete mich alle Principia[18] seiner Kunst,
als Trompeten, Trommelschlagen, Geigen, Pfeifen, beides
auf der Schalmei und Sackpfeifen, aus der Taschen spielen[19], durch den Reif springen und andere seltzame Auf-
züg und andere närrische Affen-Posturen[20] machen; also
daß ein jeder leichtlich sehen konnte, daß mir das eine und
das ander mehr angeborn als angeflogen[21] oder durch flei-
ßige Instruktion[22] angewöhnet worden; dabei lernete ich
lesen und schreiben; griechisch reden von meiner Mutter,
und sklawonisch von meinem Vater. So begriffe ich auch
mithin in Steyr[23], Kärnten und andern angrenzenden teutschen Provinzen um etwas die teutsche Sprach und wurde
in summa summarum[24] in Bälde ein solcher feiner, kurz-
weiliger Gauklerknab, daß mich gedachter mein Vater bei

seinem Handwerk zu missen umb keine 1000 Dukaten verkauft hätte, wanngleich alle Tag Jahrmark gewesen wäre.[25]

In solcher meiner blühenden Jugend vagierten[26] wir mehrenteils in Dalmatia, in Sklawonia, Macedonia[27], Servia[28], Wossen[29], Walasei[30], Siebenbürgen, Reußen[31], Polen, Litau[32], Mähren, Böhmen, Ungarn, Steyr und Kärnten herumber; und da wir in diesen Ländern viel Gelds aufgehoben[33] hatten und mein Stiefvater willens war, seines Weibs Eltern auch zu besuchen (als vor denen zu erscheinen er sich nicht scheuete, weil er sich gar einen reichen Kerle zu sein bedunkte und wie ein Graf aufziehen konnte), siehe, so nahmb er seinen Weg aus Histria[34] in Kroatiam[35] und Sklawoniam, von dannen fürters[36] durch Dalmatia und Albania per[37] Graeciam[38] in Moream[39] zu gehen, allwo dann meiner Mutter Eltern sich befanden.

Als wir nun durch Dalmatiam passierten, wollte mein Vater seine Kunst auch in der berühmten Stadt Ragusa[40] sehen lassen oder vielmehr dieselbige auch um einen guten Zehrpfenning schätzen[41], als welche damal in völligem Flor[42] und Reichtum stunde. Wir kehrten daselbst zu solchem Ende[43] ein, und zwar nicht in der Kirchen, sonder unserer Gewohnheit nach in dem allerbesten Wirtshause; und als wir blößlich[44] eine Nacht ausgeruhet, gieng mein Stiefvater hin, um Konsens[45] anzuhalten, daß er beides seine bei sich habende fremde Tier und seine Kunst um die Gebühr dem Volk möchte weisen. Es wurde erlaubt, und ehe solche Erlaubnus kaum erbeten ward[46], wurde ich samt meinem Stiefbruder, der mir weder in Dexterität[47] unserer Kunst noch in andern Stücken bei weitem nicht zu vergleichen, mit einem Reif, einer Gaukeltaschen und andern Instrumenten geschickt, zu sehen, ob ich nicht auf den Schiffen, die damals im Hafen lagen, ein Stück Geld verdienen könnte. Ich gehorsamte gern, der Meinung, dem Schiff- und Wasservolk durch meine krumme und seltzame Luftsprüng Freud und Lust zu machen. Aber ach, ich gelangte an ein Ort, das alles meines Jammers, Elends und eignen Unlusts ein Anfang war; dann nachdem etliche Schiffe außer dem[48] Hafen segelfertig auf der Reide[49] lagen, die nur auf guten Wind warteten, etliche neugeworbene Völker[50], darunter zwo Compagnien albanesische Speerreuter[51] waren, nach Hispanien[52] zu führen, siehe, da gerieten wir unversehens auf dieselbe Schiffe, weil wir durch einen der ihrigen Nachen überredet worden waren, es würde daselbst ein trefflich Trinkgeld setzen; maßen uns auch derselbe Nache mit überführte. Wir hatten unsere Exercitia[53] kaum angefangen, als sich aus Mitternacht ein Wind erhub, der bequem war, aus dem Adriatischen Meer in das Sizilianische[54] zu laufen; demselben vertrauten[55] sie die Segel, nachdem die Anker gelupft[56] waren, und lehreten mich und meinen Bruder das Schiffen wider unsern Willen erdulden. Jener tät[57], als wollte er verzweifeln, ich aber ließe mich noch trösten, nicht allein darum, weil ich von Natur alles gern auf die leichte Achsel nehme, sonder auch, weil mir der eine Rittmeister, der sich ganz in meine Gestuosität[58] verliebt, gleichsam güldene Berge versprach, wann ich bei ihm bleiben und sein Page abgeben würde. Was sollte ich tun? Ich konnte wohl gedenken, daß kein Schiff unserthalben wieder zurückfahren, noch die Raguser zweier entführten Gauklerbuben wegen, wann sie nicht geliefert[59] wurden, diesen Schiffen nachjagen und mit ihnen eine Seeschlacht angehen oder einen Krieg anfahen[60] würden. Derowegen gab ich mich nur desto geduldiger drein, genosse es auch besser als mein Bruder, welcher sich dergestalt kränkte, daß er starb, ehe wir wieder von Sicilia abfuhren, allwo wir noch einige Fußvölker einnahmen.

Von dannen gelangten wir in das Mailändische und so fort zu Land durch Safoyam[61], Burgund, Lotharingen[62] ins Land von Lützenburg[63] und also in die Spanische Niederlande, allwo wir neben andern Völkern mehr under dem berühmten Ambrosio Spinola[64] wider des Königs Feinde agierten[65]. Um dieselbige Zeit befande ich mich noch ziemlich wohl kontent[66]; ich war noch jung, mein Herr liebte mich und ließe mir allen Mutwillen zu; ich wurde weder

durch strenges Marschieren noch andere Kriegsarbeiten ab-
gemattet; so wußte ich auch noch nichts vom verdrüßlichen
Schmalhansen, als welcher damals bei weiten noch nicht so
bekannt bei unser Soldateska war, als er sich nachgehends
im Teutschen Krieg[67] gemacht hat, in welchem ihn auch
Obriste und Generalspersonen haben kennenlernen.«

Das XI. Kapitel

*Von dreien merkwürdigen Verschwendern wahrhafte
Historien*[1]

»Es gehet gemeiniglich denen, so in den Krieg kommen,
wie denjenigen, so hexen lernen. Dann gleich wie dieselbige,
so einmal zu solcher unseligen Kongregation gelangen,
schwerlich oder wohl gar nit mehr darvon kommen können,
also gehet's auch dem Mehrenteils[2] von den Soldaten, welche, wann sie gut Sach haben, nicht aus dem Krieg begehren und, wann sie Not leiden, gemeiniglich nicht draus
kommen können. Von denen, welche sich im Krieg wider
ihren Willen ferners gedulten müssen, bis sie entweders
durch eine Okkasion[3] bleiben oder sonst krepieren[4], verderben und gar Hungers sterben müssen, könnte man dar-
forhalten, daß es ihr Fatum oder Verhängnus so mit sich
brächte; von denen aber, so reiche Beut machen und gleichwohl solche wieder unnützlich verschleudern, kann man
gedenken, daß ihnen der gütige Himmel nicht gönne, sich
ihr großes Glück zunutz, sonder vielmehr das Sprichwort
wahr zu machen: ›So gewonnen, so zerronnen‹ und ›Was
mit Trommeln erobert wird, gehet mit Pfeifen wieder fort‹.
Ich weiß von dreien gemeinen Soldaten auch drei underschiedliche denkwürdige Exempel, welche solches bestäti-
gen, und derselbigen muß ich hier weitläufiger[5] gedenken.
Des ersten: Der berühmte Tilly[6], nachdem er die Stadt
Magdeburg[7] ihres jungfräulichen Kränzels[8], seine Unter-

habende[9] aber dieselbe ihrer Zierd und Reichtum beraubt gehabt, erfuhr, daß ein gemeiner Soldat von den seinigen eine große Beut von Parschaft, so in lauter Geldsorten bestanden, erobert und alsogleich wieder mit Würfeln verloren hätte. Die Wahrheit zu erfahren, ließe er solchen vor sich kommen, und nachdem er von diesem unglückseligen Spieler selbsten verstanden, daß die gewonnene und wieder verschwendete Summa größer gewesen, als er von andern vernommen (etliche sagten wohl von 30 000, andere von weit mehrern Dukaten), sagte der Graf zu ihme: ›Du hättest an diesem Geld die Tag deines Lebens genug haben und wie ein Herr darbei leben können, wann du dir's nur selber hättest gönnen wollen. Dieweil du aber dir selbsten nichts nutzen noch zugut tun wollen, so kann ich nicht sehen, was du meinem Kaiser nutz zu sein begehrest‹; und damit erkannte dieser General, der sonst den Ruhm eines Soldatenvaters gehabt, daß dieser Kerl als eine unnütze Last der Erden in freien Luft gehängt werden sollte, welches Urteil auch alsobalden vollzogen worden. Des andern: Als der schwedische Königsmarck[10] die kleine Seit der Stadt Prag[11] überrumpelt und gleichmäßig[12] ein gemeiner Soldat über 20 000 Dukaten in specie[13] darin erwischt, solche aber bald hernach auf einen Sitz[14] wiederum verspielt hatte, wurde solches dem Königsmarck gleichfalls zu Ohren getragen, welcher auch diesen Soldaten vor sich kommen ließe, um ihn erstlich zu sehen und ihm alsdann nach Erkundigung der Wahrheit ebenmäßig[15] obenangeregten[16] Tillyschen Prozeß machen zu lassen, wie er ihm dann auch auf eben dieselbige Manier zusprach. Als aber dieser Soldat seines Generals Ernst vermerkte, sagte er mit einer unerschrockenen Resolution[17]: ›Euer Excell. können mich mit Billigkeit um dieses Verlusts willen nicht aufhängen lassen, weil ich Hoffnung hab, in der Altstadt noch wohl eine größere Beute zu erhalten!‹ Diese Antwort, welche for ein Omen[18] gehalten wurde, erhielte dem guten Gesellen zwar das Leben, aber gleichwohl nicht die eingebildte Beut, viel weniger den Schweden die Stadt, welche damals von deren

Exercitu[19] hart beträngt wurde. Des dritten: Wer bei der
kurbayr. Armada[20] unter dem Holtzischen[21] Regiment zu
Fuß bekannt gewesen ist, der wird ohn Zweifel den sogenannten Obristen Lumpus entweder gesehen oder doch wenigst viel von ihm gehöret haben. Er war bei besagtem
Regiment ein Musketierer, und kurz vorm Friedenschluß
trug er eine Bike[22], wie ich ihn dann in solchem Stand,
und zwar sehr übel bekleidet, also daß ihm das Hembd
hinden und vornen zu den Hosen heraushieng, under währendem Stillstand der Waffen bei selbigem Regiment selbst
gesehen. Diesem geriete in dem Treffen vor Herbsthausen[23]
in einem Fäßlein voller französischen Duplonen[24] ein solche Beut in die Hände, daß er selbige schwerlich ertragen[25],
weniger zählen und noch weniger aus ihrer Zahl die Substanz seines damaligen Reichtums wissen und rechnen
konnte! Was tät dieser liederliche Lumpus aber, da er den
übermäßigen Anfall[26] seines großen Glücks nicht erkannte?
Er verfügte sich in eine Stadt und Festung der Bayern[27],
über welche ehemalen der große Gustavus Adolphus[28] die
Zähne zusammengebissen, daß er sie nach so viel erhaltenen
herrlichen Siegen ungewonnen mußte liegen lassen. Daselbst
staffierte er sich heraus wie ein Freiherr und lebte täglich
wie ein Prinz, der jährlich etliche Millionen zu verzehren
hat; er hielte zween Gutscher, zween Lakaien, zween Page,
ein Kammerdiener in schöner Liberei[29], und nachdem er
sich auch mit einer Gutschen und sechs schönen Pferden
versehen, reiste er auch in die Hauptstadt[30] desselbigen
Landes über die Tonau hinüber, allwo er in der besten Herberg einkehrte, die Zeit mit Essen, Trinken und täglichem
Spazierenfahren zubrachte und sich selbsten mit einem
neuen Namen, nämlich den Obristen Lumpus, nennete. Solches herrliche Leben währete ungefähr sechs Wochen, in
welcher Zeit sein eigner und rechter Obrister, der General
von Holtz, auch dorthin kam und eben in derselbigen Herberg einkehrte, weilen er ein sonderbares[31], lustigs[32] Zimmer darin hatte, in welchem er zu seiner Hinkunft zu logie-
ren pflegte. Der Wirt sagte ihm gleich, daß ein fremder

Kavalier sein gewöhnlich Logement[33] einhätte[34], welchem
er zu weichen nicht zumuten dörfte, weil er ein ansehenlich
Stück Geld bei ihm verzehrte. Dieser tapfere General war
auch viel zu diskret[35], solches zu gestatten; demnach ihm
aber besser als dem großen Atlante[36] sowohl alle Weg und
Steg, Wälder und Felder, Berge und Täler, Päß und Was-
serflüsse als auch alle adeliche Familien des Römischen
Reichs bekannt waren, als fragte er nur nach dieses Kava-
liers Namen. Als er aber verstunde, daß er sich den Obristen
Lumpus nennete, und sich weder eines alten, adelichen
Geschlechts noch eines Soldaten von Fortun[37] von solchem
Namen zu erinnern wußte, bekam er ein Begierde, mit diesem Herrn zu konversiern[38] und sich mit ihm bekannt zu
machen. Er fragte den Wirt um seine Qualitäten, und da er
verstunde, daß er zwar sehr gesellig, eines lustig Humeurs[39],
gleichsam die Freigebigkeit selber, doch aber von wenig
Worten wäre, wurde seine Begierde desto größer. Derowegen verfügte[40] er mit dem Wirt, des Lumpi Konsens[41]
zu erhalten, daß er denselben Abend mit ihm über einer
Tafel speisen möchte.
Der Herr Obriste Lumpus ließe ihm solches wohl gefallen,
und bei dem Konfekt in einer Schüssel 500 neue französische Pistol.[42] und eine göldene Ketten von 100 Dukaten
auftragen. ›Mit diesem Traktament[43]‹, sagte er zu seinem
Obristen, ›wollen Euer Exzellenz verliebnehmen und meiner dabei im besten gedenken.‹ Der von Holtz verwundert'
sich über dies Anerbieten und antwortet', daß er nicht wisse,
womit er ein solch Präsent[44] um den Herrn Obristen ver-
dienet oder inskünftig würde verdienen können, derowegen
wollte ihm nicht gebühren, solches anzunehmen. Aber Lumpus bat hingegen, er wollte ihn nicht verschmähen; er
hoffte, würde sich die Zeit bald ereignen, in deren Ihr
Exzell. selbst erkennen würden, daß er diese Verehrung zu
tun obligiert sei, und alsdann verhoffe er hinwiederumb
von seiner Exzell. eine Gnad zu erhalten, die zwar keinen
Pfennig kosten würde, daraus er aber erkennen könnte,
daß er diese Schenkung nit übel angelegt. Gleich wie nun

dergleichen göldene Streich viel[45] seltener ausgeschlagen, als jemanden versetzt werden, also wehrete sich auch der von Holtz nicht länger, sonder akzeptierte beides Ketten und Geld (weil es Lumpes überein[46] so haben wollte) mit courtoisen[47] Promessen, solches auf begebende Fäll zu remeritiern[48].

Nach seiner Abreis verschwendete Lumpes immerfort, er passierte nie bei keiner Wacht verüber, da er nicht der Soldateska, die ihm zu Ehren ins Gewehr stunde[49], ein Dutzed oder wenigst ein halb Dutzed Taler zuwarf, und also machte er's überall, wo er Gelegenheit hatte, sich als ein reicher Herr zu erzeigen; alle Tag hatte er Gäst und zahlte auch alle Tag den Wirt aus, ohne daß er ihm jemals den geringsten Heller abgebrochen[50] oder über eine allzu teure Rechnung sich beschwert hätte. Gleich wie aber ein Brunnen bald zu erschöpfen, also wurde er auch mit seiner Barschaft bald fertig, und zwar, wie ich schon erwöhnet, in sechs Wochen. Darauf versilbert' er Gutschen und Pferd; das gieng auch bald hindurch; endlich müßten seine stattliche Kleider sambt dem weißen Zeug[51] daran, das jagte er alles durch die Gurgel; und da seine Diener sahen, daß es auf der Neige war, nahmen sie nacheinander ihren Abschied, welche er auch gern passiern[52] ließe. Zuletzt, da er nichts mehr hatte, als wie er gieng und stunde, nämblich in einem schlechten Kleid, ohne einigen Heller oder Pfenning, schenkte ihm der Wirt 50 Reichstaler (weil er so viel Geld bei ihm verzehret hatte) auf den Weg; er aber wiche nicht, bis solche auch allerdings wiederumb verzehret waren. Der Wirt, entweder daß er sich bei ihm wohl begraset[53] oder ihn übernommen[54] und sich deswegen ein Gewissen macht' oder anderer Ursachen halber, gab ihm wieder 25 Reichstaler, mit Bitt, sich damit seines Wegs zu machen. Aber er gieng nicht, bis er selbe auch verzehrt hatte; und als er nun fertig war, schenkte ihm der Wirt wiederumb 10 Reichstaler zum Zehrpfennig auf den Weg; er aber antwortet', weil es Zehrgeld sein sollte, so wollte er's lieber bei ihm als einen andern verzehrn, hörete auch nit auf, bis solche wie-

derumb bis auf den letzten Heller hindurch waren, wor
über sich der Wirt mit wunderlichen Gedanken ängstigt
und ihm gleichwohl noch 5 Reichstaler gab, sich damit fort
zumachen; und den er zuvor ›Ihr Gnaden‹ genennet un
anfänglich untertänlich willkommen sein heißen, den mußt
er damal duzen, wollte er anders seiner los werden. Dan
als er sahe, daß er auch diese letztere 5 Reichstaler verzeh
ren wollte, verbote er seinem Gesinde, daß sie ihm wede
eins nochs ander darfor geben sollten. Da er nun solcher
gestalt gezwungen, dasselbe Wirtshaus zu quittiern[55], siehe
da gieng er in ein anders und verlöschte in demselbigen da
noch übrige kleine Fünklein seines großen Schatzes vollend
mit Bier. Folgends kam er wiederumb bei Heilbrunn[56] z
seinem Regiment, allwo er alsobalden in die Eisen geschlos
sen und ihm vom Henken gesagt worden, weil er bei ach
Wochen lang ohne Erlaubnus vom Regiment verblieben
war. Wollte nun der gute Obriste Lumpes seiner Band und
Eisen wie auch der Gefahr des Stricks entübrigt[57] sein, so
mußte er sich wohl seinem Obristen, den er deswegen
stattlich verehret, offenbaren, welcher ihn auch alsobalde
von beiden befreien ließe, doch mit einem großen Verweis
daß er so viel Gelds so unnützlich verschwendet, worauf e
anders nichts antwortet', als daß er zu seiner Entschuldi-
gung sagte, er hätte alle sein Tag nichts mehrers gewünscht
als zu wissen, wie einem großen Herrn zumut wäre, der
alles genug hätte, und solches hätte er auf solche Weis
durch seine Beut erfahren müssen.«

Das XII. Kapitel

Springinsfeld wird ein Trommelschlager, darnach ein
Muskedierer[1]; item[2] wie ihn ein Baur zaubern lernet

Als Springinsfeld obiges von diesen dreien namhaften Verschwendern erzählt hatte und nun ein wenig pausierte, sagte
Simplicissimus: »Dieser letzte tät zwar törlich[3] genug, aber

gleichwohl weislicher als die zween erstere; und ich kann mir keine größere Torheit unter den Menschen einbilden, als derjenige eine begehet, der viel Gelds hat und mit einem anfahet zu spielen, der wenig vermag[4]. Aber mit dieser Erzählung bistu aus dem Gleis deines eignen Lebenslaufs gefahren, welchen ich so herzlich zu vernehmen verlange. Wir verblieben bei den Spanischen in Niederland, wie gieng dir's daselbst weiters?«

Springinsfeld antwortet': »Ich kann nicht anders sagen als: wohl; dann wann ich denselben Krieg gegen dem letzteren vergleichen soll, so war jener gülden und dieser eisern; in jenem wurden die Soldaten ausbezahlt und gebraucht[5], doch aber ihr Leben nicht leichtlich hasardiert[6], in diesem aber wurden sie ohnbezahlt gelassen, die Länder ruiniert und beides Bauern und Soldaten durch Schwert und Hunger aufgeopfert, also daß man auf die letzte[7] schier nicht mehr kriegen konnte.« Simp. fiele ihm in die Rede und sagte: »Entweder redestu im Schlaf oder willst wieder aus dem Weg treten; du willst den Krieg unterscheiden und vergißt abermal deiner eigenen Person; sage darfor, wie es dir selbst gangen.« »Ich muß ja wohl«, antwort Springinsfeld, »ein wenig Umstände machen, wann ich der vorigen guten Täge gedenke und mich zugleich des nachfolgenden Elends erinnere. Aber die Folge meiner Histori ist diese: Ich kam mit den Spanischen in die untere Pfalz, als Ambrosius Spinola dasselbige glückselige Land gleich wie mit einer Süntflut überfiele[8] und in kurzer Zeit wunder viel Städte unter seinen Gewalt brachte; da machte ich's mit unordentlichem Leben so grob, daß ich darüber erkrankte, und zu Worms (allwohin sich Don Gonzalez de Cordu[b]a[9] retiriert[10], nachdem er die Frankenthalische Belägerung[11] wegen Ankunft des Mansfelders[12], welchen Tilly zu Mannheim über den Rhein gejagt, aufheben müssen), krank zurückgeblieben, allwo ich den ersten Tuck[13] empfand, den mir das Glück im Krieg erwiesen; dann ich mußte mich mit Betteln behelfen und viel schmähliche Reden hören, weil ich nichts zu verzehren hatte. Sobald ich aber wieder ein wenig erstarkte, ließe ich mich durch zween andere Kerl überreden, daß ich mit ihnen gegen[14] der Tillyschen Armee gieng, welche wir durch Abweg[15] erreichten, eben als sie auf Wieseloch[16] zugleich dem Mansfelder und ihrem Unglück entgegenmarschierte.

Ich war damals ein aufgeschossen Bürschlein von 17 Jahren[17], und gleichwohl wurde ich noch nicht for kapabel[18] gehalten, mich unter die Tirones[19] aufzunehmen; aber zu einem Tambour[20] hätte man keinen ärgern Ausbund[21] kriegen können, maßen ich auch for einen solchen aufgenommen und, solang ich mich darzu gebrauchen ließe, auch darfor gehalten wurde. Wir bekamen damal zwar ein wenig Stöße, es war aber nichts gegen denen zu rechnen, die wir hernach vor Wimpfen[22] wieder austeilten. Hier kam unser Regiment nicht einmal zum Treffen, weil es sich in dem Nachzug befande, dort aber erwiese es seinen Valor[23] desto tapferer; ich selbst tät damals etwas Ohngewöhnliches: ich hängte meine Trommel auf den Buckel und nahm hingegen eines Totbliebenen Musket und Bandelier[24] und gebrauchte mich damit im allervördersten Glied dermaßen, daß es mein Hauptmann nicht allein geschehen, sondern ihm auch mein Obrister selbst gefallen lassen mußte. Und damit erlangte ich dasselbige Mal nicht allein Beuten, sondern auch ein ziemlich Ansehen und daß ich meine Trommel gar ablegen und fürderhin eine Muskete tragen dörfte.

Unter diesem Regiment half ich den Braunschweiger bei dem Main schlagen[25], item bei Stadtloh[26], und kam auch endlich mit demselbigen in Dänemärkischen Krieg[27] in Holstein, ohne daß ich noch ein einzig Härlein Bart oder eine empfangene Wunden aufzuweisen gehabt hätte; und nachdem ich bei Lutter[28] den König selbst besiegen helfen, wurde ich kurz hernach in ebensolcher Jugend gebraucht, Steinbruck[29], Verden[30], Langwedel[31], Rotenburg[32], Ottersberg[33] und andere Ort mehr einnehmen zu helfen, und endlich um meines Wohlverhaltens, auch meiner Offizier Gunst willen an ein fetten Ort auf Salva Guardi[34] gelegt, allwo ich beides meinen Leib erquickte und meinen Beutel spickte. So kriegte ich auch unter diesem Regiment drei seltzame Nachnamen[35]: In der erste nannte man mich den General-Farzer[36], weil ich, da ich noch ein Trommelschlager war, auf einer Bank liegend den Zapfenstreich ein ganze Stund lang, auch wohl länger, mit dem Hindern verrichten oder hören lassen konnte. Zum andern wurde ich der hörnen Seifrid[37] genannt, weil ich mich einsmals allein mit einem breiten Banddegen[38], den ich in beiden Händen führte, dreier Kerl erwehrete und sie übel zuschanden haute. Den dritten brachte mir ein Diebsbaur auf, als welcher verursachte, daß man der ersten beiden Namen vergaß und mich wegen eines lächerlichen Possens, den ich mit ihm anstellete, forthin den Teufelsbanner nennete; das fügte sich also: Demnach ich einsmals etliche Roßhändler mit friesländischen Pferden aus unserm Quartier in ein anders convoyierte[39] und selbigen Tag nicht wieder heimkommen konnte, übernachtet ich bei gedachtem Bauren, der auch ein paar Kerl von unserm Regiment bei sich im Quartier liegen und eben denselbigen Tag ein Paar feister Schwein gemetzget[40] hatte; er war nicht wohl mit übrigem Bettwerk versehen und hatte auch keine warme Stub, wie dann selbigerorten der gemeine Brauch auf dem Land ist, und derowegen logierte ich im Heu, nachdem er mich zuvor mit allerhand Sorten guter, neugebachener[41] Würste abgespeiset[42] hatte. Dieselbe schmeckten mir so wohl, daß ich nicht darvor schlafen konnte, sondern lag und spintisierte, wie ich auch der Schweine selbst teilhaftig werden möchte; und weil ich wohl wußte, wo sie hiengen, nahm ich die Mühe, stunde auf und trug ein halb Schwein nach dem andern in einen Nebenbau und verbarg sie daselbst unter das Stroh, der Meinung, solche die künftige Nacht mit Hülf meiner Kameraten zu holen. Des Morgens aber, als es tagen wollte, nahm ich beides von dem Bauren und seinen Söhnen, das ist: den Soldaten, die bei ihm lagen, einen freundlichen Abschied und gieng meines Wegs. Aber der Bauer war so bald in meinem Quartier als ich selbsten und klagte mir, daß ihm die verwichne Nacht zwei Schwein gestohlen worden wären. ›Was‹, sagte ich, ›du schlimmer Vogel, willstu mich mit Diebsaugen ansehen[43]?‹ Ich machte auch so gräßliche Mienen, daß dem Tropfen[44] angst und bang bei mir wurde, sonderlich als ich ihn fragte, ob er Stöße[45] von mir haben wollte. Weil er ihm nun leicht die Rechnung machen konnte, wo es hinauslaufen würde, wann er mich desjenigen, so ich verrichtet, bezüchtigte, das zwar auch sonst niemand als eben ich getan haben, er aber gleichwohl nicht auf mich erweisen[46] könnte, da kam der schlaue Vocativus[47] auf ein andern Schlag[48] und sagte: ›Min Heer, ik vertruwe ju nichtes Böse; maer iken hebbe mi segen laten, dat welche Kriegers wat Künste konden maken, derlichen Sachen weder bytobrengen; wan gij dat küsten[49], ik sall ju twen Rixtaler gewent.‹[50] Ich überschlug die Sach, weil wir gleichwohl als in unsern Quartiern Ordre halten mußten, und ersanne bald, wie ihm zu tun wäre[51], damit ich die zween Taler mit Manier bekommen möchte; sagte derohalben zum Bauern: ›Mein Vater, das wäre ein anders. Er bitte meinen Offizier, daß er mir erlaube, mit dir heimzugehen, so will ich sehen, was ich kann ausrichten.‹ Dessen war er zufrieden und gieng alsobalden mit mir zu meinem Korporal[52], der mir umb so viel desto ehender erlaubte mitzugehen, weil er mir an dem Winken meiner Augen ansahe, daß ich den Bauren betriegen wollte; dann wir hatten in den Quartiern sonst nichts zu tun, als zu kurzweilen[53], sintemal wir den König von Dänemark aus dem Feld gejagt und alle Beläägerung geendigt hatten; maßen wir damals der Cimbrier[54] ganzen Chersonesum[55], alles was zwischen dem Baltischen Meer[56] und großen Oceano, zwischen Norwegen, der Elb und Weser lag, geruhiglich beherrschten.

Zu unserer Hinkunft ins Bauren Haus fanden wir den Tisch schon gedeckt und mit einem Botthast[57], einem Stück kalten Rindfleisch aus dem Salz, mit trögen[58] Schunken, Knackwürsten und dergleichen Dings, wie auch mit einem guten Trunk Hamburger Bier geziert; mir aber beliebte, zuvor die Kunst zu brauchen und alsdann erst zu schlampampen[59]. Zu solchem Ende machte ich mit meinem bloßen Degen in mits oper Deelen[60] zween Ring ineinander und zwischen dieselbige etliche Pentalpes[61] und ander närrisch Griebes-Grabes[62], wie mir's einfiele, und als ich fertig damit war, sagte ich zum Umstand, wer sich förchte oder zum Erschröcken geneigt sei und derohalben den leibhaftigen Teufel und sein Mutter selbst in grausamer Gestalt nicht anzusehen getraue, der möge wohl abtreten. Darauf gieng alles von mir weg, bis auf einen Böhmen, der auch bei dem Bauren in Quartier lag, welcher bei mir verblieb, mehr, weil er auch gern zaubern gelernet, wann er nur einen Lehrmeister gehabt, als daß er vor anderen beherzter gewesen wäre. Wir wurden beide verschlossen[63] und verriegelt, damit ja niemand das Werk verhinderte[64], und nachdem ich dem Böhmen bei Leib- und Lebensgefahr stillzuschweigen auferlegt, trate ich mit ihm in den Ring, wie er eben anfieng, wie ein Espenlaub zu zittern; weil ich dann nun einen Zuseher hatte, so mußte ich der Sach auch ein Ansehen machen und eine Beschwerung[65] brauchen, so in einer fremden Sprach geschehen mußte. Derowegen tät ich solche auf sklawonisch und sagte mit verkehrten Augen und seltzamen Gebärden: ›Hier stehe ich zwischen den Zeichen, welche die Einfältige betören und Narren den Kolben lausen[66]; derohalben, so sag du mir, du General-Farzer, wohin der Hörnen Seufrid die vier halbe Schwein versteckt, welche er verwichene Nacht diesen närrischen Bauren gestohlen, umb solche künftige Nacht mit seinen guten Brüdern vollends abzuholen.‹ Und nachdem ich solche Beschwerung ein paarmal wiederholet, machte ich so seltzame Gauklersprüng in meinem Ring und ließe so vielerlei Tierer Stimme mithin hören, daß der Böhm, wie er mir hernach selbst bekannt, vor Angst in die Hosen getan hätte, wann er meine schnackische[67] Beschwerung nicht verstanden. Wie ich nun des Dings bald müd wurde, antwortet' ich mir selber mit einer hohlen, dümpern[68] Stimme, gleichsam als wann sie von fernen gehöret würde: ›Die vier halbe Schwein liegen im Nebenbau auf dem Stall unterm Stroh

71

verborgen.‹ Und damit hatte das ganze Werk meiner Zauberei ein Ende; der Böhm aber konnte das Lachen kaum verhalten, bis wir aus dem Ring kamen. ›O Bruder‹, sagte er auf böhmisch zu mir, ›du bist wohl ein Schalk, die Leute zu äffen.‹ Ich aber antwortet' ihm in gleicher Sprach: ›Und du bist wohl ein Schelm, wann du die Geheimnus dieses Stücks nicht verschweigest, bis wir aus diesen Quartieren kommen, dann solchergestalt muß man die Bauren kratzen, wo sie es bedörfen.‹ Er versprach, reinen Mund zu halten, und hielte es nicht nur schlechthinweg, sonder log noch einen solchen Haufen Dings darzu, was er nämblich in währender Aktion for Spectra[69] gesehen, daß die, so mich vorm Hause nur gehöret hatten, alles glaubten und mit ihrer Autorität so viel bezeugten, daß man mich for ein Schwarzkünstler hielte und mich beides Baurn und Soldaten den Teufelsbanner nenneten. Ich bekam auch bald mehr Kundenarbeit und glaube, wann ich noch länger bei demselbigen Regiment verblieben wäre, es hätten mir etliche auch zugemutet, ich sollte Reuter in Feld und hingegen ganze Parteien und Eskatronen unsichbar machen. Der Bauer, nachdem er sein Schweinenfleisch wieder, gab mir die zween Reichstaler mit großem Dank und samt seinen Soldaten den ganzen Tag Fressen und Saufen vollauf.«

Das XIII. Kapitel

Durch was for Glücksfäll Springinsfeld wieder ein Musketierer unter den Schweden, hernach ein Pikenierer[1] unter den Kaiserlichen und endlich ein Freireuter[2] worden

Die alte Meuder, welche sowohl als der Knan dieser Erzählung zuhörete, ließe sich hier hören und sagte: »O du alter Scheißer, wie bistu gewißlich so ein arger Baurenschinder, so ein schlauer Hühnerfänger[3] gewesen!« »Was, Mutter«, antwortet' Springinsfeld, »Hühnerfänger? Wollet

72

Ihr Euch dann einbilden, ich seie mit solchen Kinderbossen, mit solchem Pubenspiel[4] umgangen? Es mußten vierfüßige Tierer sein und darzu keine kranke[5], wann ich sie würdigen sollte, selbige mir zuzuschreiben[6]; und zwar so waren alte Kühe die allerschlechtiste War, deren ich mich annahm zu beuten, und gleichwohl hab ich ihrer hin und wieder so viel rauben und stehlen helfen, daß, wann eine nach der andern und also sie allesammen mit den Schwänzen an die Hörner zusammengebunden wären, sie gewißlich von hier bis auf Euren Baurenhof[7] reichen würden, ohnangesehen er, wie ich höre, bei vier Schweizer Meilen[8] von hier entlegen sein soll. Was vermeint Ihr dann wohl, was ich for Pferd, Ochsen, Mastschwein und fette Hämmel gestohlen; bedeucht Euch auch wohl, daß ich vor dem großen Viehe hab Zeit gehabt, an das kleiner, als Hühner, Gäns und Enten, zu gedenken?« »Ja, ja«, sagte die Meuder, »drum hat dir der liebe Gott auch das Handwerk niedergelegt und dich eines Fußes beraubt, damit du hinfort des Kriegs müßig stehen[9], die ehrliche Bauren ungeplagt lassen und dich, deine alte Diebsgriff zu büßen, mit Betteln ernähren müssest.« Springinsfeld lachte hierüber einen großen Schollen[10] und sagte: »Schweigt nur still, liebe Mutter, Euer Simplicius hat's kein Haar besser gemacht und gleichwohl noch seine beide Füße übrig, woraus Ihr genugsam abnehmen könnet, daß ich mich nit an den Bauren versündigt und ihrentwegen meinen Fuß verloren; die Soldaten seind darum erschaffen, daß sie die Bauren trillen[11] sollen, und welcher's nicht tut, der tut auch seinen Beruf nicht genug.« Die Meuder antwortet', der Teufel in der Höllen würde ihnen den Lohn schon darum geben, dann wann der gütige Vater das Kind genugsam gezüchtigt hätte, so pflege er alsdann die Rute ins Feuer zu werfen. »Nein, Mutter, Ihr werdet Euch irren«, sagte Springinsfeld, »nach dem alten Sprichwort oder Reimen der ehrlichen Soldaten, welcher also lautet:

›Sobald ein Soldat wird geboren,
sein ihm drei Bauren auserkoren:

> der erste, der ihn ernährt,
> der ander, der ihm ein schönes Weib beschert,
> und der dritt, der for ihn zur Höllen fährt‹;

und das zwar nicht unbillig, dann es haben's in verwiche-
nen Kriegstrublen[12] etliche Bauren viel ärger gemacht als
die fromme Soldaten selbsten, indem sie nicht nur die Krieger, beides schuldige und unschuldige, wo sie ihrer mächtig
worden[13], ermordet, sondern auch ihre eigne Nachbarn, ja
sogar ihre Vettern und Gevattern bestohlen, wo sie nur zukommen können.« Simpl. sagte: »Was darf's viel des Dis-
putierens, es war halt Gaul als Gurr, vier Hosen *eins*
Tuchs[14], die Bauren wurden von den Soldaten Schelmen
und hingegen diese von jenen Diebe genannt, so daß diesen
Reden nach kein ehrlicher oder redlicher Mann im Land
sich mehr befand; und dannenhero war nötig, daß der edel
Friedenschluß alles Beschehene aufhube, verbesserte und
einen jeden wieder redlich machte. Erzähle du for diesmal
darfor, wie dir's hernach weiter ergieng, und vornehmblich,
wo du den heroischen Namen Springinsfeld aufgetrieben
habest.«

»Den hat mir«, antwortet' Springinsfeld, »die Courage, das
Rabenaas, aufgesattelt[15], von welcher Hex ich wenig reden
wollte, wann es nicht die Folge meiner Histori erfordert'.
Zu dieser Vettel kam ich, nachdem ich mich ihrentwegen
bei obengedachten Regiment mit einem Stück Geld ledig
gemacht hatte. Ich kann aber nicht sagen, ob ich ihr Mann
oder ihr Knecht gewesen sei; ich schätze, ich war beides
und noch ihr Narr darzu, und eben deswegen wollte ich
lieber die Geschichten, so sich zwischen mir und ihr verloffen[16], verschwiegen als offenbar wissen. Hat sie aber ihr
Schreiberknecht auch in ihrem ehrbaren Lebenslauf entdeckt, so mag sie dort lesen, wer will[17], ich mag einmal
mein eigne Guckgaucherei[18] nicht selbst ausblasen, sondern
es ist mir genug, wann ich glauben muß, sie werde meiner
so wenig als deiner verschonet haben. Das ist gewiß, mein
Simplice, daß ihre damalige liebreizende Schönheit von sol-

chen Kräften war, daß sie noch wohl andere Kerl, als ich gewesen, an sich zu ziehen vermochte; ja, sie hatte auch meritiert[19], von den allervornehmsten und ehrlichsten Kavaliern bedient zu werden, wann sie nicht so gottlos und verrucht gewesen wäre; aber sie war in den Begierden nach Geld so ersoffen, in allerlei Schelmstücken und Diebsgriffen, solches zu erobern, so abgeführt[20] und fertig und in Vergnügung ihrer brünstigen Geilheit so gar insationabilis[21], daß ich gänzlich darforhalte, es hätte niemand keine Sünde daran getan, wann er ihr zu Ersparung Holzes[22] einen halben Mühlstein an Hals gehängt und sie ohne Urteil und Recht in ein Wasser geworfen hätte. Diese Unholde[23], als sie meiner müd worden, brachte beides durch Schmiralia[24] und ohn Zweifel auch durch ihre tapfere Faust, darauf sie saß[25], zuwegen, daß ich sie wider meines Herzen Willen quittiern[26] mußte; sie gab mir zwar ein Stück Geld, Pferd, Kleider und Gewehr mit, hingegen aber auch den Teufel im Glas[27], wessentwegen ich große Angst ausstunde, bis ich seiner wieder ohne Schaden los wurde.

Nachdem ich nun diese Bestia solchergestalt verlassen und unter dem Generalwachtmeister von Altringen[28] erstlich ins Württembergische, folgends in Thüringen und endlich in Hessen kommen, haben wir sich daselbst mit andern Völkern mehr konjungiert[29] und doch sonst nichts ausgericht, als daß wir wiederum wie der Schnee vergingen. Ich selbst wurde auf einer Partei unter die Schwedische gefangen, unter denen ich auch ein Musketierer werden mußte, bis mich die Kais. ohnweit Bacherach[30] wieder erwischten, nachdem ich zuvor dem Schweden Würzburg[31], Wertheim[32], Aschaffenburg, Mainz, Worms, Mannheim und andere Ort mehr einnehmen helfen. Da wurde ich in Westfalen geschickt, des Kurfürsten von Köln selbige Bistumber unter dem berühmten Pappenheimer[33] vor den Hessen beschützen zu helfen. Ich mußte eine Pike tragen, welches mir so widerwärtig war, daß ich mich ehe hätt aufhenken lassen, als mit solchen Waffen lang zu kriegen. Es war mir gar nicht wie jenem Schwaben[34], der ein halb Dutzed solcher Stänglein auf sich nehmen wollte, dann ich hatte 18 Schuh[35] lang zu viel an einer, derowegen trachtete ich auch alle Stund darnach, wie ich ihrer wieder mit Ehren los werden möchte. Ein Musketierer ist zwar ein wohlgeplagte, arme Kreatur, aber wann ich ihn gegen einen elenden Pikenierer schätze, so besitzt er noch gegen ihm eine herrliche Glückseligkeit; es ist verdrießlich zu gedenken, geschweige zu erzählen, was die gute Tropfen for Ungemach ausstehen müssen, und es kann's auch keiner glauben, der's nicht selber erfahrt; und dannenhero glaube ich, daß derjenige, der einen Pikenierer niedermacht (den er sonst verschonen könnte), einen Unschuldigen ermordet und solchen Totschlag nimmermehr verantworten kann; dann ob diese arme Schiebochsen[36] (mit diesem spöttischen Namen werden sie genennet) gleich kreiert[37] sein ihre Brigaden[38] vor dem Einhauen der Reuter im freien Feld zu beschützen, so tun sie doch for sich selbst niemand kein Leid und geschicht dem allererst recht, der einem oder dem andern in seinen langen Spieß rennet. In Summa, ich habe mein Tage viel scharpfe Okkasionen gesehen, aber selten wahrgenommen, daß ein Pikenierer jemand umgebracht hätte.

Wir lagen an der Weser dort um Hameln, als ich meinen Kameraten überredet, daß er mir seine Muskete auf die Mauserei verliehe und so lang mein Pike trug, bis ich wiederkäme und eine Beut mitbrächte. Es glückte mir, dann unserer drei, darunter ein Landskind war, der alle Weg und Winkel wohl wußte, erkundigten einen Güterwagen, so von Premen nach Kassel zu gehen willens und nur einen einzigen hessischen Musketierer zum Convoi bei sich hatte; demselben giengen wir zu Gefallen allerdings bis an Harzwald, und da er an den Ort kam, wohin wir ihn gewünscht, schossen wir gleich im Angriff den Musketierer, den Fuhrmann und den Knecht nieder, weil jeder seinen Mann gewiß for sich genommen[39]; spannten hernach 6 schöner Pferde aus und öffneten in der Eil von Ballen und Fassen[40], was wir konnten, worinnen es viel Seidenwar und englisch Tuch setzte[41]. Das allerbeste aber for uns stak in einem Fäßlein voller Karten[42], nämlich ungefähr bei 1200 Reichstalern, welches ich zwar fande, aber mit meinen Kameraten treulich teilte. Wir sprachen den Pferden gleichsam über ihr Vermögen zu, und indem wir in kurzer Zeit einen langen Weg hinder sich legten, entronnen wir aller Gefahr und langten eben bei den Unserigen wieder an, als Pappenheim sich fertig gemacht, den Banier[43] vor Magdeburg hinwegzuschlagen[44].

Gleich wie nun dieser in Unordnung aufbrach, davonzufliehen, ehe wir recht an ihn kamen, also konnte solches so eilends nicht geschehen, daß er uns von seinem Nachzug nicht etlich hundert Mann auf dem Platz lassen mußte; und nachdem wir alles wohl ausgerichtet, die Guarnison[45] zu uns genommen[46] und der Stadt oder vielmehr des Steinhaufens[47] Befestigung an Wällen und Bollwerken ziemlich ruiniert und zersprengt hatten, brachte ich von meinem Hauptmann, weil ich ohnedas nicht ihm, sondern unter ein Regiment Tragoner gehörig, welches sich damals bei den Tillyschen befande, mit einer leidenlichen[48] Verehrung zuwegen, daß er mich entließe.

Also wurde ich meiner verdrießlichen Pike wieder los, mondierte mich und einen Knecht zum besten und nahm bei einem Regiment zu Pferd for einen Freireuter Aufenthalt so lang, bis ich wieder zu meinem Regiment, darunter ich gehörte, gelangen möchte.«

Das XIV. Kapitel

Erzählet Springinsfelds ferner Glück und Unglück

»Bei diesem Corpo[1] genosse ich des Pappenheimers Glückseligkeit, der nach diesem glücklichen Streich in Westfalen herumfuhr wie eine Windsbraut[2], und das war ein Leben for mich, dergleichen ich mir vorlängst eins gewünscht hatte. Als er die Städte Lengau[3], Herford, Bielefeld und

andere um Geld schätzte, bestahl ich hingegen da und dort
die Dörfer und Bauren auf dem Land. Als wir aber Bader-
born[4] einnahmen, setzte es bei mir zwar keine Beut, aber
da wir den Banier mit seinen vier Regimentern überfielen[5]
und Herzog Georg von Lüneburg[6] butzten[7], folgte das
Glück meiner gewohnlichen Verwegenheit und schaffte mir
desto mehr Raubs; vor Stade[8], allwo wir den schwedischen
General Tott[9] hinwegschlugen und es allerdings machten
wie hiebevor zu Magdeburg, bekam ich einen Rittmeister
gefangen und mit demselbigen ein güldene Kette von
300 Dukaten; darneben brachten ich und mein Knecht so
viel Pferde zusammen, daß ich mich gar wohl for einen
Roßhändler hätte ausgeben dörfen; und dieweil sich mein
Geld und Glück zugleich mitvermehrte, fieng ich an zu
gedenken, ob ich nicht auch ein Offizier abgeben würde.
Nirgendhin gelangten wir, da wir nit siegten und Ehr ein-
legten, außer daß wir die Holländer aus ihren Schanzen
vor Maastricht[10] nicht schlagen konnten; den Hessen und
den Bavadis[11] berupften wir gleichsam, wie wir wollten;
und den Lüneburger, der Wolfenbüttel[12] einzunehmen sich
bemühete, lehreten wir einen Sprung, daß er sich selbst
unter das braunschweigische Geschütz in Schutz geben
mußte. Nachdem wir aber Hildesheim[13] bezwungen, eilete
unser Pappenheimer zu dem Wallensteiner und künftiger
Schlacht vor Lützen[14] wie zu einer Hochzeit, in welcher
aber beiderseits allertapferste Helden und berühmteste
Generalen ihrer Zeit gleichsam mitten in ihrem Glückslauf
anstatt der Lorbeerkränze mit Myrrhen und Rauten[15] bekrönet worden.
Nachdem nun daselbsten der große Gustavus Adolphus und
unser berühmter Pappenheimer, beide ritterlich streitend,
ihr Leben zu *einer* Zeit, in *einem* Flügel gelassen[16], wie
dann der Graf kaum eine viertel oder halbe Stund länger
als der König gelebt haben soll, siehe, da erhub sich allererst die wütende Grausamkeit beiderseits fechtender Soldaten; jedwedere Seite stund for sich selbst so fest als eine
unbewegliche Maur, und was von der Battaglia tot nieder-

fiele, machte mit den entseeleten Körpern seiner standhaften Partei eine Brustwehr bis an den Nabel, gleichsam als wann selbige Walstatt, um willen sie mit zweier so tapferer Helden martialischen[17] Blut angefeuchtet worden, eine sonderbare Kraft und Würkung empfangen habe, beides die auf sich habende Tote und Lebendige zu demjenigen anzufrischen und zu entzünden, was ein rechtschaffner Soldat in dergleichen Okkasionen zu leisten schuldig; maßen beide Teil in solcher Beständigkeit verharreten, bis die stockfinstere Nacht den übrigverbliebenen, abgematten Rest selbiger streitbaren Kriegsheer voneinander sonderte.

Wir giengen noch dieselbige Nacht gegen Leipzig und folgends in Böhmen wie Flüchtige, unangesehen unser Gegenteil die Kräfte nit hatte, uns zu jagen; und da ich's beim Liecht besahe, wurde ich gewahr, daß ich in der Schlacht meinen Knecht und bei der Pagage meinen Jungen samt allem, was ich vermöcht[18], verloren; den letztern Schaden zwar hatten mir unsere eigne Völker zugefügt, und demnach solches auch andern mehr widerfahren, als seind von den Tätern auch viel aufgeknüpft worden; wordurch ich gleichwohl das Meinige nicht wiederbekam.

Diese Schlacht und darin erlittener Verlust war nur der Anfang und gleichsam nur ein Omen oder Praeludium[19] desjenigen Unglücks, das noch länger bei mir kontinuieren[20] sollte; dann nachdem mich die Altringische erkannten, mußte ich wieder unter demjenigen Regiment ein Tragoner sein, worunter ich mich anfänglich for einen unterhalten lassen; und solchergestalt hatte nicht allein meine Freireuterschaft ein End, sondern weil ich auch alles verloren, außer dem, was ich am Leib darvongebracht, so war auch die Hoffnung pritsch[21], ein Offizier zu werden.

In diesem Stand hab ich wie ein redlicher Soldat Memmingen und Kempten[22] einnehmen und den schwedischen Forbus[23] striegeln[24] helfen, in allen diesen dreien Okkasionen aber kein andere Beut als die Pest an Hals bekommen, und zwar allererst, als wir mit dem Wallenstein in Sachsen und Schlesien gangen. Unserer zween von meiner Compagnie verblieben an dieser abscheulichen Krankheit zurück, leisteten einander auch in unserm Elend getreue Gesellschaft. Wann ich die erbärmlichen Zufäll betrachte, denen ein Soldat unterworfen, so gibt mich wunder, daß dem einen und andern der Lust, in Krieg zu ziehen, nit vergehet! Aber viel ein mehrers verwundert mich, wann ich sehe, daß alte Soldaten, die allerhand Unglück, Leiden und Not ausgestanden, viel erfahren und zum öftern ihrem Verderben kümmerlich entronnen, dannoch den Krieg nicht quittieren, es seie dann, daß er selbst ein Loch gewinne[25] oder ihre Personen nichts mehr taugen, ferners in demselbigen fortzukommen und auszuharren. Nicht weiß ich, was for eine Art einer sonderbaren, unbesonnenen Unsinnigkeit uns behaftet; schätze wohl, es seie eine Art derjenigen Torheit, damit sich die Hofleute schleppen, welche dem Hofleben, darwider sie doch täglich murren, nicht ehender resignieren[26], als bis sie solches mit ihres Prinzen Ungnad aufgeben müssen, sie wollen oder wollen nicht.

Wir verharreten in einem Städtlein, welches auch mit unserer Kontagion[27] behaftet war, und zwar bei einem Barbierer[28], der unsers Gelds gleich wie wir seiner Arzneimittel bedörftig, wiewohl beide Teil desjenigen, so das ander mangelte, wenig übrig hatte; dann der Barbierer war arm, und wir waren nicht reich, derowegen mußte meine güldene Kette, die ich hiebevor vor Stade erwischt, täglich ein Gleich[29] nach dem andern hergeben, bis wir wieder gesund wurden; und als wir wieder zu reuten getrauten, machten wir sich auf den Weg, uns durch Mähren nach Österreich zu begeben, allwo unser Regiment gute Winterquartier genosse.

Aber siehe, kein Unglück allein, wann es anfangt zu wüten; wir beide Schwache und noch halb Kranke wurden von einer Rott Räuber, die wir mehr for Bauren als Soldaten [ansahen], angegriffen, abgesetzt, bis auf die nackende Haut ausgezogen und noch darzu mit Stößen übel traktiert und konnten schwerlich unser eigen Leben und for unsere Kleider etwas von ihren alten Lumpen von ihnen erhalten, uns vor der damaligen grausamen Winterskälte zu beschützen, welches aber nicht viel mehrers tät, als wann wir uns in zerrissene Fischergarn bekleidet gehabt hätten, weil gleichsam Stein und Bein zusammengefroren war. Ich hatte noch etliche Gleich von meiner göldenen Ketten verschluckt, darauf bestund all mein übriger Trost und Hoffnung; aber ich glaub, daß ihnen der Teufel gesagt haben muß, dann sie behielten uns 2 Tag bei ihnen, bis sie solche alle aus dem Exkrement[30] bekommen, und mußte ich's noch for einen großen Gewinn halten, daß sie mir den Bauch nicht aufgeschnitten, anstatt daß sie uns endlich wieder lebendig von sich ließen. In solchem elenden Zustand, da uns zugleich Geld, Kleider, Gewöhr, Gesundheit und bequem Wetter zu unserer Reis mangelte, bewegten wir kaum etliche Leute, daß sie uns mit Nachtherberg und einem Stück Brot zu Hülf kamen, und war uns trefflich gesund[31], daß ich wie mein Kamerad kein Niemezy[32] oder Niemey[33] gewesen, der die sklawonische Sprach nicht gekönnt, sintemalen ich durch solches Parlaren[34] vom mährischen Landmann beides Essensspeis und alte Kleider erbettelte, damit wir sich, obzwar nit ansehenlicher ziert[35], jedoch dicker wider die grimmige Winterskälte bewaffneten. Also armselig haben wir Mähren allgemach durchkrochen, viel Elend erlitten und von dem Bauersmann, der dem Soldaten niemals hold wird, mehr spitzige Schmachreden als ·villige Steur[36] und Almosen eingenommen.«

Das XV. Kapitel

Wie heroisch[1] sich Springinsfeld in der Schlacht vor Nördlingen gehalten

»Zu unserer Hinkunft zu unserem Regiment wurden wir wieder beritten gemacht und mondiert, der Wallensteiner aber zu Eger umgebracht[2], weil er, wie man sagte, mit der

ganzen Armada zum Gegenteil übergehen, das Erzhaus
Österreich vertilgen und sich selbst zum König in Böhmen
machen wollen. Hierdurch wurde zwar dies hochlöbl. erz-
fürstl. Haus errettet, aber zugleich auch das kais. Kriegsheer (dessen Obriste zum Teil um der verfluchten Wallensteinischen Zusammenverschwerung[3] halber for verdächtig
gehalten werden wollten) zum Gebrauch[4] for untüchtig geschätzt, weil man ihre Treu zuvor probieren mußte, und
eben deswegen mußten wir auf ein neues dem Kaiser wiederum schwören; aber dieser Verzug verursachte, daß es
liederlich umb den kais. Krieg anfing zu stehen, maßen die
schwedische Generalen da und dort mit Einnehmung unter-
schiedlicher Städte gewaltig um sich griffen[5], bis endlich
der unüberwündlichste dritte Ferdinand[6], damaliger ungar-
und böheimischer König, die Waffen selbst ergriffen. Dieser
mustert' uns und führte uns bei 60 000 stark samt einer unvergleichlichen Artigleria[7] in Bayrn vor Regenspurg[8], welche Stadt ich hiebevor, nachdem ich mich von der Courage
scheiden lassen müssen, mit List einnehmen helfen; von
dannen ich mit meinem General, dem Altringer, und Joann
de Werth[9] denen Schwedischen unter Gustav Horn[10] entgegen kommandiert worden; da es dann sonderlich zu
Landshut[11] auf der Brücke ziemblich heiß hergienge, allwo
mir nicht allein mein Pferd unterm Leib, sondern auch (an
welchen ein mehrers gelegen) besagter unser rechtschaffene
General von Altringen totgeschossen wurde.
Nachdem nun Regenspurg und Donawerth[12] an uns über-
gangen[13] und sich der hispan. Ferdinandus Kardinal-In-
fant[14] mit uns völlig konjungiert, zogen wir auf das Ries[15]
und belägerten Nördlingen. Damals war ich ein unberitte-
ner und auch sonst (weil ich die Winterquartier schlecht genossen, eine Krankheit ausgestanden und lang nichts Beut-
haftigs erschnappt hatte) Vermögens halber ein fast[16] armer
Schelm, so gar daß man meiner auch nicht achtete, noch
mich irgendhin kommandierte, als die Schweden kamen, die
belägerte Stadt zu entsetzen; indem es aber hierüber zu
einem fast blutigen Treffen[17] geriete, gedachte ich auch eine

Beut zu holen oder das Leben darüber zu verlieren, dann ich wollte viel lieber tot als ein solcher Bärnhaiter sein, der nur dastehet und zusiehet, wie tapfer andere, ehrliche[18] und wohlmondierte Soldaten sich umb den Barchet jagen[19]; und demnach mir's gleich golte, ob Kaiser oder Schwed siegen würde, wann ich nur mein Teil auch darvon kriegte, siehe, so mischte ich mich ganz ohne Waffen ins Geträng, als die Victori[20] noch in der Waag stunde und der meiste Teil der Kriegsheer mit Rauch und Staub bedeckt war. Gleich hierauf kehrte die schwedische Reuterei der Battaglia den Rucken, weil sie sahen, daß ihr Sach allerdings verloren; nachdem sie aber vom Lothringer, Joann de Werth, den Ungern und Kroaten wieder zuruckgejagt wurden, über ebendenjenigen Ort, da ich mich befande, des Willens, in Eil die da und dort liegende Tote zu besuchen[21] und zu plündern, wurd ich gezwungen, niederzufallen und mich denjenigen gleichzustellen, die ich zu berauben im Sinn hatte. Das tät ich etlichmal, bis beiderseits einander jagende Troppen den Ort passiert, quittiert und den Toten und noch halb Lebenden, deren sie abermal daselbst ziemblich sitzen ließen[22], allein überlassen.

Ich hatte mich kaum wiederaufgerichtet, als mir ein ansehenlicher, wohlmondierter Offizier (der dort lag, sein Pferd beim Zaum hielte und den einen Schenkel entzweigeschossen, den andern aber noch im Stegreif[23] stecken hatte) mir umb Hülf zuschrie, weil er ihm selbst nicht helfen könnte. ›Ach Bruder‹, sagte er, ›hilf mir!‹ ›Ja‹, gedachte ich, ›jetzt bin ich dein Bruder, aber vor einer Viertelstund hättest du mich nicht gewürdigt, nur ein einziges Wort mir zuzusprechen, du hättest mich dann etwan einen Hund genannt.‹ Ich fragte: ›Was Volks?‹ Er antwortet': ›Gut schwedisch.‹ Darauf erwischte ich das Pferd beim Zaum und mit der andern Hand eine Pistole von seinem eignen Gewöhr[24] und endet' damit die wenigen Rest des bittenden Lebens; und dies ist die Würkung des verfluchten Geschützes[25], daß nämblich ein geringer Bärnhäuter dem allerdapfersten Helden, nachdem er zuvor vielleicht auch durch einen liederlichen Stallratzen ungefähr[26] beschädigt[27] worden, das Leben nehmen kann. Ich fande Goldstücker bei ihm, die ich nicht kännte, weil ich von dergleichen Größe meine Tag noch niemalen gesehen; sein Wehrgehenk[28] war mit Gold und Silber gestickt, das Degengefäß[29] von Silber gemacht und sein Hengst ein solches unvergleichliches Soldatenpferd, dergleichen ich meine Tage niemalen überschritten[30]. Solches alles nahmb ich zu mir, und nachdem ich Gefahr merkte, also daß ich nit länger Mist bei ihm zu machen[31] oder ihn gar auszuziehen getraute, setzte ich mich aufs Pferd, und da ich die eroberte Pistolen wieder lude, dann die Pistolenhalftern oder Büchsenscheiden, wie sie die Bauren nennen, waren nach damaligem Gebrauch genugsam mit Patronen versehen, mußte ich gleichwohl bei mir selbst erseufzen und gedenken, wann der unüberwündliche, starke Herkules[32] jetziger Zeit selbst noch lebte, so könnte er solchergestalt sowohl als dieser prave[33] Offizier auch von dem allergeringsten Roßbuben erlegt werden.

Ich rennete im vollem Calopp hinder die Unserige und fand, daß sie sonst nichts mehr zu tun hatten, als totzuschlagen, gefangenzunehmen und Beuten zu machen, welches lauter Zeichen der erhaltenen Victori waren. Ich machte mir anderer gehabte Mühe zunutz und stund[34] zu den Siegern in ihr Arbeit, da es mir zwar sonderlich nicht glückte, ohne daß ich blößlich noch so viel erschnappte, daß ich mich daraus kleiden konnte. Dergleichen geringes Glück hatten auch die übrige Kerl von meinem ganzen Regiment, doch einer mehr als der ander, ohnangesehen sie tapfer gefochten hatten.«

Das XVI. Kapitel

Wo Springinsfeld nach der Nördlinger Schlacht herumb-
vagiert[1] und wie er von etlichen Wölfen belägert wird

»Gleich wie nun nach Erhaltung[2] dieser gewaltigen und
namhaften Schlacht das große, sieghafte kais. Kriegsheer in
unterschiedliche Länder geschickt wurde, also empfanden
auch alle Provinzen, dahin diese gelangten, die Würkung
des gedachten blutigen Treffens, und zwar nicht allein, was
das Schwert, sondern auch was der Hunger und was die
Pest jedes absonderlich[3] zu tun vermöchte, ja wie grausamb
die zusammengestimbte, erschröckliche Harmonia dieser
gesambten dreien Hauptstrafen die Menschen zum Grab
danzen machen könne. Den Anteil meines Unglücks, damit
die damalige armselige Zeit gleichsam ganz Europam heim-
suchte, überstunde ich an den allerunglückseligsten Örtern,
nämblich an Rheinstrom, der vor allen andern teutschen
Flüssen mit Triebsal[4] überschwembt wurde, sintemal er
erstlich das Schwert, darauf den Hunger, drittens die Pest
und endlich alle drei Plagen zu einer Zeit und auf einmal
tragen mußte, in welcher unruhigen Zeit, die zwar viel zur
ewigen Ruhe oder Unruhe beförderte, ich dem Kaiser wiederumb Speyr, Wormbs, Mainz[5] und andere Ort mehr einnehmen halfe; und demnach der weimarische Herzog Bern-
hardus damals durch die Kräfte der französischen Flügel[6]
am Rhein herumschwebte und durch sein stetigs Agiern[7]
(indem er an besagtem Fluß wie auf einer Fickmühl[8] zu
spielen wußte) nit nur zu der anstoßenden[9] Länder Ruin
Ursach gabe, sondern auch zum Teil die seinige selbsten,
vornehmblich aber unsere Armee, die damals Graf Philipp
von Mansfeld kommandierte, äußerist, und zwar ohne son-
derliche Schwertstreich, ruinierte, siehe, da büßte ich mit
ein! Nit nur mein Pferd, das mir vor Nördlingen zugestan-
den[10] (deren es, wo wir nur hinmarschierten, aller Orten
voll lag, den Untergang unserer Armee bezeugen zu helfen), sondern auch mein gutes Geld, das ich daselbsten be-

kommen; dann wann mir ein Pferd verreckte, so erhandelte
ich ein anders und gab darfor meine spanische Real[11] und
Jakobiner[12], Umgicker[13] etc. for[14] guldene spanische und
englische Kopfstücker[15] aus, deren ein zwei oder drei silberne in meinem Sinn golte und wert war, welche auch
jedermann in solchem Preis gern von mir annahm, solang
ich deren auszugeben hatte.

Als ich nun solchergestalt mit meinem Reichtum, gleich wie
das ganze Land mit dem seinigen, in Bälde fertig worden,
gieng der kleine Rest unsers vor diesem unvergleichlichen
Regiments in Westfalen[16], allwo wir unter dem Grafen von
Götz[17] die Städte Dortmund, Paderborn, Hamm, Unne[18],
Kamen, Werl, Soest und andere Ort mehr einnehmen helfen; und damals kam ich in Soest in Guarnison zu liegen,
allwo ich, mein Simplice, Kund- und Kameradschaft mit
dir bekommen; und weil du selber zuvor weißt, wie ich daselbst gelebt, ist unnötig, etwas darvon zu erzählen[19].

Du bist aber nicht über dreiviertel Jahr zuvor vom Feind
gefangen und der Graf von Götz ist kaum ein viertel Jahr
aus Westfalen hinwegmarschiert gewesen, als der Obriste
S. Andreas[20], Kommendant in der Lippstadt[21], durch einen
Anschlag Soest einnahm[22]. Damals verlore ich alles, was
ich in langer Zeit zusammengeraspelt und vorm Maul erspart hatte; solches und mich selbst bekamen zween Kerl
von der Guarnison in Coesfeld[23], allwo ich mich auch for
einen Musketierer gebrauchen lassen und mich so lange hinter der Maur patientiern[24] mußte, bis beides die Hessen
und Französische-Weimarische über Rhein in das Erzstift
Köln giengen[25], allwo es ein Leben setzte, dergleichen ich
lang nachgeseufzet.

Dann wir fanden gleichsam ein volles Land und unter dem
Lampoy[26] ein solche Armatur[27], die wir leicht übermeister-
ten und von der Kemper Landwehr[28], ja gar aus dem Feld
hinwegschlugen[29]. Diesem Sieg folgten Neuß[30], Kempen[31]
und andere Örter mehr, ohne die gute Quartier, die wir genossen, und ohne die gute Beuten, die hin und wieder gemacht wurden; doch wurde ich armer Tropf gleichwohl

anfangs nicht reich darbei, weil ich unter meiner Muskete gemeiniglich bei der Compagnie verbleiben mußte; demnach wir aber Gülch[32] plünderten und mit den Leuten auf dem Land sowohl im Erzstift Köln als Herzogtum Gülch unsers Gefallens prozediern[33] dorften, erschunde ich so viel Gelds zusammen, daß ich mich wieder von der Muskete loszukaufen und mich zu Pferd zu mondiern getraute.

Solches setzte ich ins Werk[34], da es beinahe selbiger Orten schon ausgemauset war, da wir nämlich Lechnich[35] vergeblich zur Ubergab ängstigten und uns nicht nur die Kurbayerische, die bei Zons[36] lagen, sondern auch die Spanische ans Leder wollten[37]. Dannenhero schlupfte Guebriant[38] den Kopf aus der Schlinge, quittierte den Rheinstrom und führte uns[39] durch den Thüringer Wald in Franken, allwo wir wiederum zu rauben, zu plündern, zu stehlen und gleichwohl nichts zu fechten gefunden, bis wir in das Württenbergische kommen, da uns zwar Joann de Werth nächtlicher Zeit ohnweit Schorndorf[40] in die Haar geraten[41] und einen Biß versetzt, aber gleichwohl das Fell nicht grob zerrissen. Aber wer kein Glück hat, der fällt die Nas ab, wann er gleich auf den Rucken zu liegen kommt; dann ich wurde kurz hernach von dem Obristleutenant von Kürnried[42], welchen die gemeine Bursch den Kirbereuter[43] zu nennen pflegten, auf einer Partei gefangen und zu Hechingen[44], wo damals das bayerische Hauptquartier war, wiederum demjenigen Regiment Tragoner zugestellt, darunter ich anfänglich gedienet.

Also wurde ich wieder ein Tragoner, aber nur zu Fuß, weil ich noch kein Pferd vermochte. Wir lagen damals zu Balingen[45] und widerfuhre mir ein Poss' um selbige Zeit, welcher zwar von keiner Importanz[46], gleichwohl aber so seltzam, verwunderlich und mir so eine schlechte Kurzweil gewesen, daß ich ihn erzählen muß; ohnangesehen ihrer viel, denen der damalige elende Stand des ruinierten Teutschlandes unbekannt, mir solches nicht glauben werden.

Demnach unser Kommendant in Balingen Kundschaft bekommen, daß die Weimarische unter Reinholden von Rose[47]

1200 Pferd stark ausgangen, uns aufzuheben[48], gedachte er solches an Ort und End[49] zu notifizieren[50], von dannen sukkuriert[51] werden könnte. Weil ich dann wie obgemeldet noch ohnberitten, zumalen mir Weg und Steg wohlbekannt, auch meine Person so beschaffen war, daß man mir kecklich[52] zutrauen konnte, ich würde die Sach wohl ausrichten, als[53] wurde ich in Baurenkleidern mit einem Schreiben nach Villingen[54] geschickt, von dieser obhandenen Rosischen Cavalcada[55] Nachricht dorthin zu bringen; und golte gleich, ob ich vom Gegenteil unterwegs gefangen würde oder nicht, dann wann solches geschehen wäre, so hätte der Feind erfahren, daß sein Anschlag entdeckt gewesen, auf derowegen solchen wieder eingestellt. Aber ich kam glücklich durch und ließe mich auch gegen Abend wieder abfertigen, umb die Nacht über wieder auf Balingen zu kommen. Als ich nun durch ein Dorf passierte, darinnen keine Mäus, geschweige Katzen, Hund und ander Vieh, viel weniger Menschen sich befunden, sahe ich gegen mir einen großen Wolf avancieren, welcher recta mit aufgesperrtem Rachen auf mich zugieng. Ich erschrak, wie leicht zu gedenken, weil ich kein ander Gewöhr als einen Stecken bei mir hatte; retirierte mich derowegen in das nächste Haus und hätte die Tür hinder mir gern zugeschlagen, wann es nur eine gehabt; aber es mangelte deren sowohl als der Fenster und des Stubenofens. Ich gedachte wohl nicht, daß mir der Wolf in das Haus nachfolgen würde, aber er war so unverschämt, daß er den Ort nicht respektierte, der zur menschlichen Wohnung gewidmet worden, sondern zottelte in einem reputierlichen Wolfgang fein allgemach[56] hernach; dannenhero ich notwendig mein Refugium[57] die erste und andere Stiege hinauf nehmen mußte; und weil mich der Wolf sehen ließe, daß er auch Stiegen[58] steigen konnte so wohl als ich, wurde ich gezwungen, mich in aller Eil, welches zwar kümmerlich und mit großer Not geschahe, durch ein Tageloch[59] hinauf auf das Tach zu begeben. Da mußte ich eilends die Ziegel rucken und zerbrechen, um mich auf den Latten zu behelfen, auf welchen ich je länger, je höher

hinaufkletterte, und als ich mich hoch genug daroben und
also vor dem Wolf in Sicherheit zu sein befande, öffnete
ich im Tach ein größere Lucken[60], um dardurch zu sehen,
wann der Wolf die Stiege wieder hinabspazieren oder was
er sonsten tun wollte.

Da ich nun hinunterschauete, siehe, da hatte er noch mehr
Kameraten bei sich, welche mich ansahen und sich mit Gebärden stelleten, als ob sie einen Anschlag zu erstimmen[61]
begriffen, wie sie mir beikommen möchten. Ich hingegen
chargierte[62] mit halben und ganzen Ziegeln auf sie hinunter, konnte aber durch die Latten weder gewisse[63] noch
satte[64] oder starke Würf tun; und wann ich gleich den
einen oder andern auf den Pelz traf, so bekümmerten sie
sich doch nichts darum, sondern behielten mich also belägert oder plockiert. Indessen ruckte die stockfinstere
Nacht herbei, welche mich, solang sie unsern Horizont be-
deckte, mit scharpfen, durchschneidenden Winden und
untermischten Schneeflocken gar unfreundlich traktierte,
dann es war im Anfang des Novembri und dannenhero
ziemlich kalt Wetter, so daß ich mich kümmerlich dieselbe
winterlange Nacht auf dem Tach behelfen konnte; überdas
fiengen die Wölfe nach Mitternacht eine solche erschreck-
liche Musik an, daß ich vermeinte, ich müßte von ihrem
grausamen Geheul übers Tach herunterfallen; in Summa[65],
es ist unmüglich zu glauben, was for eine elende Nacht ich
damals überstanden; und eben um solcher äußersten Not
willen, darin ich stak, fienge ich an zu bedenken, in was
for einem jämmerlichen Zustand die trostlose Verdammte
in der Höllen sich befinden müßten, bei denen ihr Leiden
ewig währet, welche nit nur bei etlichen Wölfen, sondern
bei den schröcklichen Teufeln selbsten, nicht nur auf einem
Tach, sondern gar in der Höllen, nicht nur in gemeiner
Kälte, sondern in ewig brennendem Feur, nicht nur eine
Nacht in Hoffnung, erlöst zu werden, sondern ewig, ewig
gequält würden. Diese Nacht war mir länger als sonst vier,
so gar daß ich auch sorgte, es würde nimmermehr wieder
Tag werden, dann ich hörete weder Hahnen kräen noch die

Uhr schlagen und saße so unsanft und erfroren dorten im rauhen Luft, daß ich gegen Tag all Augenblick vermeinte, ich müßte herunterfallen.«

Das XVII. Kapitel

Springinsfeld bekombt Sukkurs[1] und wird wiederum ein reicher Tragoner

»Ich erlebte zwar auf meinem Tach den lieben Tag wiederumb, ich sahe aber drum nichts, daraus ich einige Hoffnung zu meiner Erlösung hätte schöpfen mögen, sondern hatte vielmehr Ursach, gleichsam gar zu verzagen, dann ich war müd, matt, schläferig und noch darzu auch hungerig. Ich beflisse mich sonderlich, mich des Schlafens zu enthalten, weil die geringste Einnickung der Anfang meines ewigen Schlafs gewesen wäre, sintemal ich alsdann entweder erfrieren oder über das Tach herunterburzeln müssen. Indessen bewachten mich die Wölfe noch immerfort, obzwar bisweilen deren etliche die Stiege auf und ab spazierten. Nach denjenigen, die oben im Hause unterm Tach verblieben, warf ich zwar ohne Unterlaß mit Ziegeln, ob ich sie vielleicht vertreiben möchte; es nutzte mir aber zu nichts anders, als daß ich mich durch dasselbige Exercitium des Schlafs erwehrte und mir den Schatten oder eine Copei[2] einer geringen Wärme in die Glieder schaffte. Und dergestalten brachte ich beinahe den ganzen Tag zu.

Gegen Abend aber, da ich mich schier allbereit in mein gänzliches Verderben ergeben hatte, kamen fünf Kerl in sachtem Calopp dahergeritten, welchen ich gleich an Fertighaltung ihres Gewehrs ansahe, daß sie zu Rekognoszierung[3] des Dorfs vorhanden. Den letzten kannte ich am Pferd, daß es ein Wachtmeister[4] vom Sporckischen Regiment[5] war, der mich gar wohl kennet; die erste wurden meiner von fernen gewahr und sahen mich anfänglich for eine Schildwacht und, da sie sich besser näherten, for einen Bauren an, befahlen mir derowegen auch als einen Bauren, ich sollte heruntersteigen oder sie wollten mich herunterschießen. Als ich aber gedachten Wachtmeister mit Namen nennete, mich damit zu erkennen gab und darneben versicherte, daß in 24 Stunden kein vernünftige Seele im Dorf gewesen, sintemal ich so lange auf dem Dach Schildwacht gehalten, erzählet ich ihnen auch zugleich mein Geschäfte und was for Kreaturen mich in meinem beschwerlichen Arrest hielten. Hierauf folgte gleich der Obriste Sporck selbsten mit einem starken Truppen; und als er meine Beschaffenheit vernahm, ließe er alsobalden zehen Reiter mit ihren Karbinern[6] absteigen, in das Haus gehen und sonst das Haus umstellen, auch Schildwachten außerhalb dem Dorf aufführen. Als nun jene ins Haus gestürmbt, wurden 8 Wölfe so[7] erschossen als sonst niedergemacht und im Keller fünf menschliche Körper gefunden, von welchen sie auch sogar etliche Gebein aufgefressen hatten. Vermög[8] eines Gesteckmessers[9], eines Stahles[10], zweier Paßzedel[11] und eines Wechselbriefs, der nach Ulm lautet', wie auch eines Gürtels, darinnen Dukaten vernähet waren, ist ein Metzger unter diesen gewesen, der die Tonau hinunter gewollt, etliche Ungar-Ochsen zu kaufen. Und ohne diese fünf Menschenköpfe fanden wir auch Aas von andern Tieren, also daß es in diesem Keller einer alten Schindgruben[12] ähnlich sahe.

Gedachter Obriste war mit 500 Pferden aus, umb Rottweil[13] zu erkundigen, was die Weimarische im Sinn hätten; und da er solchergestalten von mir erfuhr, was des Rose Intention[14] wäre, befahl er alsobalden in demselbigen Dorf zu füttern, das ist: den Pferden zu fressen zu geben, was jeder von kurzem Futter hinter sich führte; dann in demselbigen Dorf war nichts vorhanden, das die Pferde genießen konnten, als das Stroh auf etlichen Dächern. Und alsdann fütterte auch ein jeder sich selbsten, mich aber des Obristen kalte Küche, von deren mir mildiglich[15] mitgeteilt wurde, als dessen ich damals auch trefflich vonnöten.

Der Obriste hielte die Begegnus mit den Wölfen for ein gut Omen, noch ferners ein unverhoffte Beut zu erhalten. Er gedachte auf Balingen zu gehen und mit Zuziehung unserer daselbst liegenden Tragoner dem Rosa einen Streich zu versetzen. Ich wurde auf ein Handpferd[16] gesetzt, den richtigsten Weg zu weisen; aber ehe wir gar zwo Stund in die Nacht marschiert hatten, kriegten wir Kundschaft, daß Rosa sich zwar bei Balingen sehen lassen, aber nicht der Meinung, die Tragoner auszuheben, sondern den Ort, den er for leer gehalten, zu besetzen. Weil er aber zu spat kommen, hätte er sich in das Dorf Geislingen[17] logiert, um über Nacht daselbst liegen zu bleiben. Hierauf änderte der Obriste alsobald seinen Anschlag und nahm seinen Weg gerad auf Geislingen zu, allwo wir auch unversehens um eilf Uhr ankamen und den Rose mit bei sich habenden vier Regimentern gar unsäuberlich[18] aus dem ersten Schlaf weckten; bei 300 Reutern setzten ins Dorf, die übrigen aber hielten darvor haußen[19] und zündeten es an vier Orten an. Darauf wurden gleichsam in einem Augenblicke diese 4 Regimenter zerstöbert[20] und ruiniert; 200 wurden gefangen ohne[21] die Offizier und sonst viel schöne Beuten gemacht; und demnach ich von dem Obristen erhalten, daß ich auch in das Dorf laufen und mich um eine Beut umschauen möchte, also durchschliche ich die Häuser zuäußerst am Dorf und zunächst an einem Ort, da es brannte, und bekam drei schöne, gesattelte Pferd mit aller Zugehör und einem Jungen, dessen Herr sich mitsamt dem Knecht entweder zu Fuß darvongemacht oder sich sonst versteckt hatte, weil er das Niederbichsen[22] unserer im Feld haltenden Reuter geförchtet, als die gemeiniglich nur den Flüchtigen zu Pferd zusetzten.

Des Morgens frühe ließe mich der Obriste mit meiner Beut wiederum nach Balingen reiten, unserm Kommendanten und seinen Tragonern die Botschaft seines glücklich verricht'ten Einfalls[23] zu bringen. Ich war willkommen, nicht allein wegen der Botschaft, die ich brachte, sondern auch wegen der guten Rekommendation-Schreiben, die mir der

Obriste beides meines Wohlverhaltens und meiner ausge-
standenen Gefahr halber mitgeteilet hatte. Der Kommendant hatte mir ein Dutzed Taler versprochen, wann ich zu
meiner Wiederkunft die Botschaft recht ausgerichtet haben
würde; weil ich aber jetzt so wohl heimkam, verehrte er
mir deren zwei und machte mich noch drüberhin zu einem
Korporal. Derowegen versilberte ich das eine Pferd und
mondierte mich und einen Knecht aus dem erlösten Geld
desto stattlicher, machte auch abermal hohe Gedanken, ob
ich nicht noch mit der Zeit ein Kerl von Ästimation[24] abgeben würde. Eben auf denselbigen Tag, daran ich so groß
worden, gieng Rottweil an den Guebriant[25] über, aber die
Weimarische haben diese Stadt nicht viel länger behauptet,
als bis die Tuttlinger Kirchmeß[26] gehalten worden (auf
deren ich zwar wenig Beuten einkramen können, weil ich
als ein Unteroffizier anders zu tun hatte); dann nachdem
solche vorüber, nahm sie unser General von Mercy[27] mit
Akkord[28] wieder hinweg[29]. Und weil ich damals auch etwas von der ausziehenden Pagage angepackt[30], wäre ich
beinahe, wie andern Mausern mehr widerfuhr, harkebu-
siert[31] oder wohl gar, als ein Korporal, der andern abweh-
ren sollen, aufgehenkt worden, dafern mich mein gutes
Pferd nicht beizeiten aus der Gefahr getragen und zehen
Taler, die ich den Nachjagenden spendierte, aus den Händen des Profosen[32] und Steckenknechts[33] errettet hätte.
Gleich hierauf bekamen wir gute Winterquartier; und obgleich Herr Korporal Springinsfeld anfänglich in denselbigen eine herbe Hauptkrankheit überstunde, also daß ihm
auch kein Härlein Heu auf der obern Bühne[34] übrig verbliebe, so schlug es ihme dannoch hernach so wohl zu, daß
er mitten im Krieg einen solchen fetten Kopf überkam[35]
wie ein Dorfschultheiß mitten in Friedenszeiten[36].«

Das XVIII. Kapitel

Wie es dem Springinsfeld von der Tuttlinger Kirchmeß an bis nach dem Treffen vor Herbsthausen ergangen

»Den folgenden Sommer[1] führete uns der kluge General Freiherr von Mercy wieder mit einer schönen, und zwar fast auf eine altfränkische[2] oder holländische Manier[3], da alles mit guter Ordre zugehet, zu Felde. Das Vornehmbste[4], das wir gleich anfangs verrichteten, war die Einnehmung der Stadt Uberlingen[5], deren Guarnison nun eine Zeitlang große Ungelegenheit auf und umb den Bodensee herumber gemacht hatte; dieser folgte Freiburg[6] im Preisgau, die nun etliche Jahr nacheinander mit Einziehung der Kontributionen[7] gleichsam wie eine militarische Königin über den ganzen Schwarzwald geherrschet und sich aus ihm bereichert. Wir hatten aber dieselbige Stadt kaum in unsern Gewalt, als der Duc d'Enghien[8] und Turenne[9] ankommen[10], uns in unserm wohlbefestigten Läger auf die Finger zu klopfen; maßen sie auf die Schanzen gestürmet und weder ihrer Soldaten Blut noch deren Lebens verschonet, gleichsam als wann sie nur wie die Pfifferling über Nacht gewachsen wären; sie stürmten mit unglaublicher Furi[11] gegen uns hinauf wie resolute Helden, wurden aber jedesmal beides zu Roß und Fuß dermaßen bewillkombt und wieder abgefertigt, daß sie mit ihrem häufigem Herunterbürzeln[12] der überstreuten Walstatt ein Ansehen machten, als wann es Soldaten geschneiet hätte; es war auch billig, daß diejenige, deren Leben gering geachtet wurde, dasselbe auch gering verlieren sollten. Den andern Tag gieng es noch hitziger her, und kann ich wohl schweren, daß ich mein Tage niemals darbeigewesen, da man schärpfer einander zugesprochen als eben vor diesem Freiburg! Es hatte das Ansehen, als wann die Franzosen nicht übers Herz wollten oder könnten bringen, uns ohnüberwunden von sich zu lassen, und eben dahero fochten sie desto tapferer, ja unsinniger; hingegen stritten wir vernünftig und mit großem Vorteil.

Daher kam's, daß unserer nicht viel über 1000, jener aber über 6000 erschlagen und verwundet worden.

Wir Tragoner haben neben den Kürassierern[13] unter Johann von Werths Anführung das Beste getan, und wann unserer mehr zu Pferd gewesen wären, so würde den Franzosen ihre Frechheit übel eingetränkt sein worden. Wir kamen zwar mit einem blauen Aug darvon, aber mit großer Ehr, dieweil wir sich eines solchen starken Feinds ritterlich erwehret und ihm allerdings den dritten Teil so viel Volks zunichte gemacht, als wir selbst stark gewesen. Hingegen hatten die Franzosen auch keine Schand darvon, als die ihre verwegene Tapferkeit genugsam sehen lassen, es seie dann einem aufzuheben[14] oder vorzurucken[15], wann er so vieler Soldaten Blut unnützlich verschwendet oder sonst ohne Not mit dem Kopf wider eine Mauer lauft.

Da wir sich nun in unserm württenbergischen Lande ein wenig erschnaubet[16] und zugleich marschierend sich um einen Raub umschauten, vermuteten wir solchen in der untern Pfalz zu erhaschen. Derowegen rumpelten wir hinein und gleich darauf in Mannheim[17] mit stürmender Hand, worinnen ich abermal, weil ich einer unter den ersten war, der hineinkam, eine ansehnliche Beut von Geld, Kleidern und Pferden machte. Diesem nach säuberten wir Höchst[18] von der hessischen Besatzung per Akkord und nahmen Bensheim[19] mit Sturm ein, allwo mein Obrister[20] das Leben durch einen Schuß einbüßte; darinnen hauseten wir etwas rigoroser[21] als kurbayrisch und machten, daß sich Weinheim[22] auch auf Gnad und Ungnad an uns ergab.

Umb diese Zeit stunde es umb unsere Armee überaus wohl, dann wir hatten an dem Mercy einen verständigen und dapfern General, an dem von Holtz gleichsamb einen Atlanten[23], der die Beschaffenheit aller Wege, Stege, Pässe, Berge, Flüsse, Wälder, Felder und Täler durch ganz Teutschland wohl wußte, dahero er das Heer beides im Marschiern und Logiern zum allervorteilhaftigsten führen und einquartieren, auch wann es an ein Schmeißen[24] gehen

sollte, seinen Vortel bald absehen konnte. Am Joann de
Werth hatten wir einen praven Reutersmann ins Feld, mit
welchem die Soldaten lieber in eine Okkasion als in ein
schlechtes Winterquartier giengen, weil er den Ruhm hatte,
daß er beides in öffentlichen Fechten und Verrichtung seiner heimlichen Anschläge sehr glückselig sei; an dem Würt-
tenberger Land und dessen Nachbarschaft hatten wir einen
guten Brotkorb, welches schiene, als wann es nur zu unserem Unterhalt und unsere jährliche Winterquartier darinnen
zu nehmen erschaffen worden. Der Kurfürst aus Bayern
selbst, wahrlich ein erfahrner Feldherr und weiser Kriegs-
fürst, war gleichsamb unser Vater und Versorger, welcher
uns gleichsamb von weitem zusah, dirigierte und von Haus
aus mit seiner klugen und vorsichtigen Feder führte; und
was das allermeiste war, so hatten wir lauter versuchte und
tapfere Obriste beides zu Roß und zu Fuß, und von denselbigen an bis auf den geringsten Soldaten eitel geübte,
herz- und standhafte Krieger; und ich dorfte beinahe kecklich sagen, wann ein Potentat[25] im Anfang seines Kriegs
gleich eine solche Armee beisammen hätte, daß er sein
Gegenteil, der noch zweimal so viel Tirones[26] beieinander,
dannoch leichtlich besiegen möchte.
Aber ich muß wieder auf meine Histori kommen. Die ver-
hält sich kürzlich[27] also, daß nämblich nach geendigtem
Winterquartier die meiste von uns nach Böhmen zu den
Kais. giengen und von den Schwedischen vor Jankau[28] ihr
Teil Stöße holeten, und haben wir solchergestalt ihrer Un-
glückseligkeit oft entgelten und die Scharte ihrer Waffen,
die sie ich weiß nit aus was Ursachen oder Übersehen[29]
hier und da empfangen, mit Darstreckung unserer Hälse
öfters auswetzen, ja zu Zeiten ihrentwegen gar einbüßen
müssen, wie dann for diesmal auch geschehen. Ich befande
mich damals nicht in obbesagten Treffen, sondern im Württenbergischen, in welcher Gegend mein Obrister[30] zu Na-
gold[31] die Schanze[32] läßlich[33] übersehen und zum Lohn
seiner Unvorsichtigkeit das Leben erbärmlicherweise eingebüßt; und damals kam es darzu, daß ich aus einem Korpo-

ral zu einem Forier[34] gemacht wurde, eben als der von Mercy unsere Völker hin und wieder zusammenzoge, um dem Turenne zu wehren, daß er sich in unserm Gäu[35], in Schwaben und Franken, daraus wir uns selbst zu erhalten gewohnet waren, nicht zu heimisch und gemein machen sollte.

Und dieses ist dem von Mercy for diesmal auch noch gelungen, maßen er ohnversehens auf die Französische losgangen und sie bei Herbsthausen[36] dermaßen geklopft, daß ihm Turenne das Feld raumen und viel vornehme Offizier und Generals-Personen hinterlassen müssen. Ich wurde in diesem Treffen zeitlich durch einen Schenkel, doch nicht gefährlich, geschossen, gleichwohl aber dardurch etwas zu erbeuten undichtig[37] gemacht, weil ich die noch Stehende weder bestreiten helfen noch den Flüchtigen nachjagen konnte; welches mich so blutübel verdrosse, daß ich zween ganzer Tag mit allem meinem Fluchen kein Vaterunser zusammenbringen konnte; dann weil mein harte Haut bishero nur mit den ankommenden Kuglen gescherzt, vermeinte ich, es sollte nicht sein, daß ein anderer mehr als ich können und mich eben jetzt, da etwas zu errappen[38], beschädigen sollte.«

Das XVIIII. Kapitel

Springinsfeld fernere Historia bis auf das bayrische Armistitium[1]

»Die Früchte dieser erhaltenen ansehenlichen Victori war ohne die Beuten und die Gefangene nichts anders, als daß unsere Armee bis an die niederhessische Grenze hinuntergieng und Amöneburg[2] entsetzte, vor Kirchheim[3] sich vergeblich bemühete und dardurch in ein Wespennest stache, das ist, daß sie den Turenne sich mit dem Hessen zu konjungiern verursachten; wessentwegen sie dann den Ruckweg wieder dahin nehmen mußte, woher sie kommen war. Ich

lag damals im Taubergrund[4] mit andern Beschädigten mehr
und ließe mich an meiner empfangenen Wunden kurieren;
aber als sich unsere Armee mit einem Sukkurs von ungefähr
fünfthalbtausend Mann, den ihr der Graf von Geleen[5] zugebracht, nach Heilbrunn zoge und selbige Stadt mit Völkern unter dem Obristen Fugger, Obristen Caspar[6] und
meinem Obristen verstärkte, mußte ich auch dort liegen
bleiben.

Indessen giengen die konjungierte hessische, Turennische
und Königsmarckische Völker in die Unterpfalz, nahmen[7]
den Duc d'Enghien zu sich und marschierten den Neckar
hinauf, uns und die Unserige zu erfolgen[8]. Zwar ließen sie
uns zu Heilbrunn wohl liegen; aber Wimpfen[9] wurde ihr
erster Raub, als welches sie beschossen, mit stürmender
Hand eingenommen und auf[10] 600 Mann von uns darinnen
so gefangen bekommen als niedergemacht haben. Daselbst
seind sie über den Necker an die Tauber gangen und haben
sich vieler ohnbesetzten Örter, auch der Stadt Rothenburg[11],
bemächtigt. Endlich brachten sie unsere Armee zum Stand,
erhielten von ihnen einen blutigen Sieg bei Allerheim[12],
warbei unser tapferer General, Feldmarschall von Mercy,
das Leben auch eingebüßt. Folgends nahmen sie Nördlingen[13] mit Akkord ein und zwangen den Obristwachtmeister
von meinem Regiment, der mit 400 von unsern Tragonern
und 200 Muskedierern in Dinkelspiehl[14] lag, daß er sich
ihnen nicht mit Akkord, sondern auf Gnad und Ungnad ergeben mußte; und weilen sich diese Völker mußten unterstellen, wurde unser Regiment mehr dardurch geschwächt,
als wann es auch in dem Treffen gewesen wäre. Von dar
giengen sie über Schwäbischen-Hall[15] gegen uns los, weil es
uns auch gelten sollte, und fiengen an, gegen uns zu agieren
und sich zu verschanzen; sobald sie aber der Unseren Ankunft vermerkten, als welche der Erzherzog Leopold Wilhelm[16] mit 16 kais. Regimentern verstärkt hatte, siehe, da
verschwanden sie wie Quecksilber oder zerstoben doch aufs
wenigst voneinander, als wann sie die Schlacht vor Allerheim nicht erhalten[17] hätten. Und ich kann auch nicht

sehen, was sie diese teure Victori anders genutzt, als daß sie die Unserige ein wenig geschwächt und den berühmten Mercy aus dem Weg geraumet; dann sie wurden bis nach Philippsburg[18] verfolget und verloren alle Örter wiederum, die sie zuvor erobert hatten. Wir bekamen auch zu Wimpfen 8 schöne halbe Kartaunen[19], 1 Feldstück[20], 1 Feurmörsel[21] und hin und wieder viel Mannschaft von ihnen, darvon sich die Teutsche alle unterstellen und also unsere Armee wieder verstärken mußten. Folgends giengen wir wieder in unseren gewöhnlichen Gäu, das ist in Franken, im anspachischen und württenbergischen Lande in die Winterquartier, die Kaiserl. aber in Böhmen.

Ehe das Jahr gar zu End liefe, marschierte der Kern unserer Armee in Böhmen zu den Kaiserl., der Hoffnung, denen daselbst befindlichen Schweden einen guten Streich zu versetzen. Weil es aber außer der Zeit[22] und hierzu gar unbequem Wetter war, zumalen die Schweden auch von sich selbsten dasselbe Königreich quittierten, wurde nichts anders draus, als daß wiederum etliche Örter von den Schweden in der Kaiserlichen Hände kamen.

Den folgenden Sommer[23] aber, als das Gegenteil[24] zwischen den Fürstentumen des niedern und obern Hessen anfieng, um sich zu greifen, seind wir auch gegen denselben mit Ernst zu Feld gangen und durch die Wetterau bis zwischen Kirchheim und Amöneburg ihme entgegengezogen, da es zwar zu keiner Hauptaktion[25] kommen, aber gleichwohl durch kommandierte Völker an der Ohm[26] ein lustiges Soldaten-Exercitium gesetzt[27], worin ich einen Leutenant von den Hessen gefangen und ein schönes Pferd samt 60 Reichstalern an Geld von ihm kriegte. Weil dann der Feind nicht schlagen wollte, sondern ohnweit Kirchheim in seinem verschanzten und wohlproviantierten Läger verbliebe, wir aber an Furage[28] Mangel litten, zogen wir uns zuruck in die Wetterau; uns folgten die Schweden und Hessen, als die sich mit dem Turenne konjungiert hatten. Da stunde ein Seit dies-, das ander Teil jenseit der Nidda[29] in Battaglia[30], spielten mit Stücken zusammen[31] und sahen ein-

ander an wie zween zähnbleckende Hunde, die einander
ohne Vorteil nicht anfallen wollen. Endlich ließen sie uns
gegen dem Kamberger Grund[32] marschiern, sie aber giengen in vollen Sprüngen über den Main und der Tonau zu
und ließen uns das Nachsehen.

Unser Obrister wurde geschickt, samt den Jungen-Kolbi-
schen[33] den vereinigten Feindsarmeen vorzukommen, um
ein und anders der unserigen Örter zu besetzen; und ob uns
gleich Königsmarck bei Schwabenhausen[34] zwackte, so
seind wir jedoch noch in 800 Pferd stark in Augspurg an-
gelangt[35], eben als sich die Schweden vergebliche Hoffnung gemacht, selbe Stadt in Güte einzubekommen. Gleich
darauf[36] kam der Obriste Rouyer[37] noch mit vierthalbhun-
dert[38] Tragonern zu uns; waraus die Schweden uns in aller
Eil belägerten und in kurzer Zeit mit Approchieren[39] unter
die Stücke[40] auf den Graben kamen; und ich glaube auch,
sie würden uns gewaltig heiß gemacht und endlich auch
die Stadt gar überkommen[41] haben, wann sich die Unserige
nicht bald darvor präsentiert hätten, als welche sich num-
mehr wieder mit neuem Sukkurs verstärkt hatten und die
Feindsvölker desto kühner von der Belägerung hinweg-
schröckten[42].

In dieser Stadt mußte ich neben andern kommandierten
Tragonern liegen, bis Bayrn und Köln mit den Franzosen,
Schweden und Hessen einen halben Frieden[43] oder wenigst
(ich weiß selbst nit, was es war) ein Stillstand der Waffen
machte. Als solcher geschlossen, wurde ich und andere mehr
durch Fußvölker abgelöst und kam wieder zu meinem Regiment, als es um Deckendorf[44] herum auf der faulen
Bärenhaut müßig lag.

Es konnten aber[45] etliche unserer Generals-Personen und
Obristen eine solche Ruhe schwerlich ertragen, also daß sie
sich unterstunden, mit ihren unterhabenden Völkern zu den
Kaiserlichen überzugehen, zuvor aber ihres eignen Feldherrn[46] Länder, for welche sie bishero so ritterlich gefochten, zu plündern, unter welchen vornehmlich mein Obrister[47] auch gewesen, der doch ein Soldat von Fortun und

zu seinem Stand durch seines größten Kurfürsten Mildigkeit und Gnad befördert worden war. Er erlangte aber anderster nichts damit, als daß ihm ein schändlicher Ehrentitul konzipiert[48] und hin und wieder in Bayern an einem aufgerichteten Holz[49] mit einem Arm angeschlagen wurde, maßen ich ein Exemplar solcher Ehrensäulen zu S. Nicolao[50] bei Passau gesehen. Andern[51] wurde solches Unterfangen wegen ihrer hohen Verdienste und großer Ästimation nachgesehen, als welche um ihrer Treu und Dapferkeit willen auch ein bessers meritierten[52]. Nachdem solcher Lärme wieder gestillt, weiß ich nichts Denkwürdigs von mir zu erzählen, ich wollte dann sagen, wie ich leffeln gangen und den bayrischen Dirndlen aufgewartet, bis wir die Degen wieder in die Hände genommen.«

Das XX. Kapitel

Kontinuation solcher Histori bis zum Friedenschluß und endlicher Abdankung

»Der alte Stern wollte uns aber zur Erneuerung unsers alten Kriegs, wie etwan hiebevor zum alten Glück, nicht mehr leuchten[1]: Mercy war tot, Joann de Werth nicht mehr unser und der Holzapfel[2], sonst[3] Melander, den Schweden und Franzosen nicht so herb und handig[4] wie etwan zuvor den Kaiserischen, da er noch den Hessen diente, wiewohl der rechtschaffene Soldat das Seinige tät, ja sein Leben dargab, als uns der Feind über den Lech[5] und über die Yser[6] jagte. Damals schrien uns etliche vom Gegenteil über das Wasser zu (als wir nämlich wie eine Maur stunden und uns durch des Feinds Geschütz so viel als nichts bewegen ließen), wir sollten nur eilen mit der Flucht, so wollten sie uns an Örter jagen, allwo eine Kuh einen halben Batzen gelten sollte. Diese haben erraten, was sie wahrsagten, und als wir ihrem Rat zu folgen durch ihre Menge gezwungen wurden, hab ich endlich erlebt, daß unter den Unserigen eine Kuh nicht nur um einen halben Batzen, sondern auch sogar um eine verächtliche Pfeife Tabak hingegeben worden. Damals stund unser Sach liederlich; der von Gronsfeld[7] konnte so wenig als Melander zuwegen bringen, daß jemand aus den Unserigen füglich[8] mit Lorbeerkränzen bekrönt werden möchte, sondern wir mußten, was nicht in den wehrlichen[9] Örtern liegen bliebe, auch sogar über den Innstrom hinüberpassieren, welchen zu überschreiten auch das Gegenteil erkühnete.

Aber an diesem strengen[10] Fluß hat sich der strenge Siegslauf und das Glück der Schweden und Franzosen gestoßen[11]. Ich lag unter sieben, doch schwachen Regimenten in Wasserburg[12], als beide Feindsarmeen suchten, denselbigen Ort zu bezwingen und über besagten Fluß in das gegenüberliegende, volle[13] Land zu gehen, in welchem etliche steinalte Leute die Tag ihres Lebens noch niemalen keine Soldaten gesehen hatten. Weil aber wegen unserer tapferer Gegenwehr unmüglich war, etwas daselbst auszurichten, unangesehen sie uns mit glüenden Kugeln zusprachen[14], giengen sie auf Mühldorf[15] und wollten dort ins Werk setzen, was sie zu Wasserburg nicht zu tun vermocht. Aber ihnen widerstund daselbst einer von Hunoldstein[16], ein kais. Generals-Person, bis sie der vergeblichen Arbeit müd wurden und ihr Hauptquartier zu Pfarrkirchen[17] nahmen, allwo sie erstlich der Hunger und endlich die Pest zu besuchen anfieng, die sie auch endlich zwischen dem Tyrolischen Gebürg[18] und der Tonau, zwischen dem Ynn[19] und der Yser[20] hinausgetrieben, wann sie das Generalarmistitium, so dem völligen Frieden vorgieng, nicht veranlaßt hätte, bessere Quartier zu beziehen.

Unter währendem Stillstand wurde unser Regiment nach Hilperstein[21], Heideck[22] und selbiger Orten herumb gelegt, da sich ein artliches Spiel unter uns zugetragen. Dann es fande sich ein Korporal, der wollte Obriste sein, nicht weiß ich, was ihn for eine Narrheit darzu angetrieben; ein Musterschreiber[23], so allererst aus der Schul entloffen, war sein Secretarius, und also hatten auch andere von seinen

Kreaturen andere Officia[24] und Ämpter. Viel neigten sich zu ihm[25], sonderlich junge, unerfahrne Leute, und jagten die höchste Offizier zum Teil von sich oder nahmen ihnen sonst ihr Kommando und billichen[26] Gewalt; meinesgleichen aber von Unteroffizieren ließen sie gleichwohl gleichsam wie neutrale Leut in ihren Quartieren noch passieren. Und sie hätten auch ein Großes ausgerichtet, wann ihr Vorhaben zu einer andern Zeit, nämlich in Kriegsnöten, wann der Feind in der Nähe und man unserer beiseits[27] nötig gewesen, ins Werk gesetzt worden wäre; dann unser Regiment war damals eins von den stärksten und vermochte[28] eitel geübte, wohlmondierte Soldaten, die entweder alt und erfahren oder junge Wagehäls waren, welche alle gleichsam im Krieg aufgezogen worden. Als dieser von seiner Torheit auf gütlichs Ermahnen nicht abstehen wollte, kam Lapier[29] und der Obriste Elter[30] mit kommandierten Völkern, welche zu Hilperstein ohne alle Mühe und Blutvergießung Meister wurden und den neuen Obristen vierteilen oder, besser zu sagen, fünfteilen (dann der Kopf kam auch sonder) und an vier Straßen auf Räder legen, 18 ansehenliche Kerl aber von seinen Prinzipal-Anhängern[31] zum Teil köpfen und zum Teil an ihre allerbeste Hälse aufhenken, dem Regiment aber die Musketen abnehmen und uns alle auf ein neues dem Feldherrn wieder schwören ließen. Also wurde ich noch vor meinem Ende oder vor dem völligen Frieden aus einem Forier zu einem Quartiermeister[32] und das Regiment aus Tragonern zu Reutern gemacht; und dieses ist das letzte, was ich dir, mein Simplice, von meiner teutschen Kriegshistori zu erzählen weiß, ohne, daß wir bald hernach abgedankt worden, zu welcher Zeit ich drei schöne Pferd, einen Knecht und einen Jungen, auch ohngefähr bei 300 Dukaten in parem Geld ohne die drei Monatsold vermöchte, die ich bei der Abdankung empfing; dann ich hatte nun ein geraume Zeit hero kein Unglück gehabt, sondern Geld gesammlet. Und also mußte ich aufhören zu kriegen, da ich vermeinte, ich könnte es zum besten; den Knecht und Jungen fertigte ich ab so gut, als ich konnte, versilberte zwei Pferd und sonst alles, was Geld golte, und begab mich mit dem Uberrest nach Regenspurg, um zu sehen, wie ich meinen Handel ferner anstellen oder was mir sonst for ein Glück zustehen möchte.«

Das XXI. Kapitel

Springinsfeld verheuratet sich, gibt einen Wirt ab, welches Handwerk er mißbraucht; wird wieder ein Witwer und nimmt sein ehrlichen Abschied hinter der Tür[1]

»Ich war damals ein Mann von ungefähr 50 Jahren[2] und traf zu bemeldtem Regenspurg eine verwittibte[3] Leutenantin an, die war nit viel jünger, hatte auch nicht viel weniger Geld als ich; und weil wir einander öfters bei der Armee gesehen, machten wir desto ehender Kundschaft[4] miteinander. Sie merkte Geld hinter mir und ich hinter ihr auch, und dannenhero fieng gleich eins das ander an zu vexieren, ob es nicht mit uns beiden ein Paar geben könnte, sagten auch beiderseits, wer's nicht glauben wollte, der möchte es zählen[5]. Sie war in dem Land[6] zu Haus, darin man allerhand Religionen passieren läßt[7], und solches war for mich[8], weil ich noch keiner zugetan; sintemal ich alsdann die Wahl haben konnte, unter so vielen eine anzunehmen, die mir am besten gefiele. Sie konnte von ihren Reichtumen zu Haus nicht genug aufschneiden, viel weniger genug beklagen, daß sie in ihrer Jugend gleich im Anfang des Kriegs von ihrem Mann seligen von denselbigen hinweggeraubt und bei Einnehmung ihres Heimats zu seinem Weib wider ihren Willen gemacht worden wäre, worbei man unschwer abnehmen kann, daß sie nicht mehr jung gewesen, weil sie sowohl als ich die erste Einnehmung der Festung Frankenthal[9] gedachte. Was darf's aber vieler Umstände? Wir machten's gar kurz miteinander und traten nicht allein mit der Heuratsabred[10], sondern auch mit der Kopulation[11] geschwind zusammen; beiderseits Zubringens[12] halber ward unter andern auch dies abgehandelt und verschrieben[13], daß ich, wann sie vor mir absterben sollte ohne Leibserben, darzu bei ihr dann ohnedas kein Hoffnung mehr war, alsdann die Tage meines Lebens den Sitz und Genuß auf ihrem Gut haben, ihren Sohn aber, den sie von ihrem ersten Mann hatte, ehrlich aussteuern[14] sollte; 100 Gulden behielte ich mir vor, dieselbe hin zu vermachen und zu verschenken, wohin ich wollte. Als nun diese Glock dergestalt gegossen[15], eileten wir in ihr Vaterland, allwo ich zwar ein wohlgelegen, steinern Wirtshaus fande wie ein Schloß, aber darum[16] weder Öfen, Türen, Läden noch Fenster, also daß ich beinahe so viel zu bauen hatte, als wann ich's von neuem hätte angefangen. Das überstunde ich mit feiner Geduld und wendet mein Geldchen, und was mein Weibchen hatt, getreulich an, so daß ich for einen praven[17] Wirt in einem praven Wirtshause gehalten werden konnte; und mein Weib konnte auch den Judenspieß so wohl führen[18], als ein sechzigjähriger Burger von Jerusalem hätte tun mögen, also daß unser Säckel, ohnangesehen der schweren Ausgaben (dann ich mußte auch Friedengeld[19] geben, da ich doch viel lieber noch länger Krieg haben mögen), nicht leichter, sondern viel schwerer wurde; vornehmlich darum, weil es damals viel reisende Leut gab, beides von Handelsleuten, Exulanten[20] und abgedankten Soldaten, die ihr Vaterland wieder suchten, welchen allen mein Weib gar ordentlich zu schrepfen wußte, weil ihr Haus hierzu sehr gelegen war.

Hierbeneben schachert' ich auch mit Pferden, welcher Handel mir trefflich wohl zuschlug, und gleich wie mein Weib ein lebendiges Erzmuster eines Geizwansts war, also gewöhnte sie mich auch nach und nach, daß ich ihr nachöhmte[21] und alle meine Sinne und Gedanken anlegte, wie ich Geld und Gut zusammenscharren möchte; ich wäre auch zeitlich zu einem reichen Mann worden, wann mich das Unglück nicht anderwärtlicher[22] Weise geritten.

Es werden gemeiniglich diejenige, so[23] prosperiern[24], von andern Leuten beneidet und angefeindet, und das um so viel desto mehr, je mehr bei denen, so reich werden, der Geiz verspürt wird; dahingegen die Freigebigkeit bei männiglich Gunst erwirbt, vornehmlich wann sie mit der Demut begleitet wird. Solchen Neid verspüret ich nicht ehender, als bis seine Würkung ausbrach; dann gleich wie meine Nachbarn sahen, daß meine Reichtum zusehens grüneten[25] und aufwuchsen, also fienge ein jeder an nachzusinnen, durch welchen Weg mir doch solche so häufig zufallen möchten, sogar daß auch etliche entblödeten[26] zu gedenken, ich und mein Weib könnten hexen. Und also gab ein jeder ohne [mein] Wissen auf mein Tun und Lassen heimlich genaue Achtung. Unter andern war ein Erzfunk[27] an demselbigen Ort, dem ich ehemalen ein schön, groß Stück wohlgelegener und fast lustiger[28] Wiesen abpraktiziert[29], das er mir nicht gönnete, wiewohl ich's ihm ehrlich bezahlt hatte; derselbe beriete sich mit einem Holländer und einem Schweizer – dann es wohneten allerlei Nationen an selbigem Ort –, wie sie mir doch hinter die Quelle meiner Reichtum kommen und mir eins anmachen möchten; und hierauf waren sie desto geflissener, weil bereits etliche deren Landsleute aufgewannet[30] hatten und verdorben waren, als welche sich nicht in dieselbe Landesart schicken können[31]. Einmals kamen mir zween Wägen voll Wein, der durch die Umgelter[32] gleich angeschnitten[33] und in Keller gelegt wurde, eben als ich den folgenden Tag eine ansehenliche Hochzeit traktieren sollte. Weil nun gedachte meine drei Neider mir zutrauten, ich könnte aus Wasser Wein machen, schütteten sie mir noch denselben Abend etwas von geschnittenen Stroh, das man den Pferden unter den Habern zu füttern pflegt, in meinen Brunnen, und als sich dasselbige den andern Tag auch in dem Wein fande, siehe, da war mir die Hand im Sack erwischt[34]; man visitierte alle Faß und fande mehr Wein, als ich eingelegt hatte, und in jedwedem Faß etwas von dem Häckerling; und ob ich gleich schwören konnte, daß ich von dieser Mixtur[35] nichts gewußt, dann mein Weib und ihr Sohn waren ohne mich for diesmal so endelich[36] gewest, so half es doch nichts, sondern der Wein ward mir genommen und ich noch darzu um 1000 fl.[37] gestraft, welches meinen Weibchen dermaßen zu Herzen gieng, daß sie vor Scham und Bekümmernus darüber erkrankte und den Weg aller Welt gieng. Es wäre mir auch die Wirtschaft ferners zu treiben gar niedergelegt[38] worden, wann desselbigen Orts ein andere solche ansehenliche Gelegenheit vorhanden gewesen wäre, die sich zu einer Wirtschaft geschickt hätte.

Nach dieser Geschichte wurde ich allererst gewahr, was for Freunde und was Feinde ich bisher gehabt; ich wurde so veracht, daß kein ehrlicher Mann etwas mehr mit mir zu schaffen wollte haben; niemand grüßte mich mehr, und wann ich jemand einen guten Tag wünschte, so wurde mir nicht gedankt; ich kriegte schier keine Gäste mehr, ausgenommen wann etwan irgends ein Frembdling verirret oder ein solcher noch nichts von meiner Kunst gehöret hatte. Solches alles war mir schwer zu ertragen, und weil ich ohnedas auch eine Kurzweil mit zweien Mägden angestellt hatte, welches in Bälde seinen Ausbruch mit Händen und Füßen nehmen würde, so packte ich von Geld und Geldswert zusammen, was sich packen ließe, setzte mich auf mein bestes Pferd, und als ich vorgeben, ich hätte meiner Gewohnheit nach Geschäfte zu Frankfort zu verrichten, nahmb ich meinen Weg auf die rechte Hand der Tonau zu, dem Grafen von Serin[39], der damal fast die ganze Welt mit dem Ruf seiner Tapferkeit erfüllet, wider den Türken zu dienen.«

Das XXII. Kapitel

Türkenkrieg des Springinsfeld in Ungarn und dessen
Verehlichung mit einer Leirerin

»Was ich mir gewünscht, das hab ich auch gefunden und erhalten, ohne daß ich nicht dem Serin, sondern dem Röm. Kais. selbst gedienet. Ich kam eben[1], als etliche freiwillige

Franzosen sich eingefunden, ihrem König zu Gefallen wider die türkische Säbel Ehre einzulegen. Derselbe Krieg gefiele mir nicht halber, und ich hatte auch weder ganzes noch halbes Glück darinnen, weil ich mich anfänglich nicht darein richten oder den Brief[2] recht finden konnte zu lernen, wie man's machen müßte, daß man sich auch reich und groß kriegte. Doch schlendert' ich so mit und suchte jederzeit in den allerschärpsten Okkasionen entweder meinen Tod oder Ehre und Beuten zu erlangen, verblieb aber allezeit in dem Pfad der Mittelmaß, und wann ich gleich zuzeiten irgends eine Beute machte, so hatte ich doch niemals weder das Glück noch die Witz[3], noch die Gelegenheit, solches zu meinem Nutz aufzuheben und zu verwahren. Und solchergestalt brachte ich mich durch solche Biss' in die allerletzte Hauptaktion[4], in deren die Unserige zwar oben lagen[5], ich aber mein vortrefflich Pferd durch einen Schuß verloren und unter demselben liegen verbleiben mußte mit gesundem Leibe, bis beides Freund und Feind das Feld geteilt[6] und sich etlichemal über mich hinübergeschwenkt hatten; da ich dann von den Pferden so elend zertreten worden, daß ich alle Kräfte meiner Sinne verloren, von den Siegern selbst for tot gehalten und auch als ein Toder gleich andern Toten meiner Kleider beraubt worden, in denen ich etliche schöne Dukaten versteppt hatte.

Da ich nun wieder zu mir selber kam, war mir nicht anders, als wann ich geradbrecht[7] oder mir sonst Arm und Bein entzweigeschlagen worden wären; ich hatte nichts mehr an als das Hembd und konnte weder gehen, sitzen noch stehen, und weil jeder verpicht war, die Tode zu plindern und Beuten zu machen, als ließe mich auch ein jeder liegen, wie ich lag, bis mich endlich einer von meinem Regiment fande, durch dessen Anstalt ich zu unserer Bagage[8] gebracht und da von diesem, dort von jenem mit Kleidern und einem Feldscherer[9] versehen wurde, der mich hin und wieder mit seinem Oleum bapolium[10] schmierete.

Da war ich nun zum allerelendesten Tropfen von der Welt worden; der Markedenter, so mich führen[11], und der

Feldscherer, so mich kurieren sollte, waren beide unwillig, und überdas mußte ich Hunger leiden umb einen geringen Pfenning, dann mit dem Kommißbrot wurde meiner mehrmals vergessen, und bettlen zu gehen hatte ich die Kräften nicht. Indem ich mich nun allerdings darein ergeben hatte, ich müßte auf dem Markendenterwagen endlich krepieren, blickte mich wieder ein geringes Glück an, daß ich nämblich mit andern Kranken und Beschädigten mehr in die Steirmark mußte, allwo wir verlegt wurden, unsere Gesundheit wieder zu erholen; das währete, bis wir nach dem unversehenen Friedenschluß[12] zum Teil unseren Abschied kriegten, unter welchen Abgedankten ich mich auch befande und, nachdem ich meine Schulden bezahlt, weder Heller noch Pfenning und noch darzu kein gut Kleid auf dem Leib behielte.

Uberdas war es mit meiner Gesundheit auch noch nicht gar richtig, in Summa, da war guter Rat teuer und bei mir Bettlen das böste[13] Handwerk, das ich zu treiben getraute. Dasselbe schlug mir auch besser zu[14] als der ungrische[15] Krieg; dann ich fande ein faules Leben und süßes Brot, bei welchem ich bald wieder meine vorige Kräfte eroberte, weil diejenige gern gaben, die bedachten, daß ich umb Erhaltung der Christenheit Vormaur[16] willen in Armut und Krankheit geraten war.

Als ich nun meine Gesundheit wieder völlig erhalten, kam mir drum nit in Sinn, mein angenommenes Leben wieder zu verlassen und mich ehrlich zu ernähren, sondern ich machte vielmehr mit allerhand Bettlern und Landstörzern gute Bekannt- und Kameradschaft; vornehmblich mit einem Blinden, der viel bresthafte[17] Kinder und gleichwohl unter denselbigen eine einzige gerade[18] Tochter hatte, die auf der Leier spielte und nicht allein sich selbst damit ernährete, sondern noch Geld zurucklegte und ihrem Vater davon mitteilte. In diese verliebte ich mich alter Geck, dann ich gedachte: ›Diese wird in deiner angenommenen Profession ein Stab deines vorhandenen und nunmehr verwiesenen[19] Alters sein.‹ Und damit ich auch ihre Gegenlieb und also sie selbsten zu einem Weib bekommen möchte, überkam[20] ich eine Diskantgeige ihr zu Gefallen und half ihr beides vor den Türen und auf den Jahrmärkten, Baurentänzen und Kirchweihen in ihre[21] Leier spielen, welches uns trefflich eintrug; und was wir so miteinander eroberten, teilte ich mit ihr ohne allen Vortel[22]; die allerweißeste Stücklein Brot ließe ich ihr zukommen, und was wir an Speck, Eier, Fleisch, Butter und dergleichen bekamen, ließe ich allein ihren Eltern, dahingegen ich bisweilen bei ihnen etwas Warms schmarotzte, insonderheit wann ich etwan da oder dort einem Bauren eine Henne abgefangen, die uns ihre Altmutter auf gut bettlerisch (das ist: beim allerbesten) zu säubern, zu füllen, zu spicken und entweder gesotten oder gebraten zuzurichten wußte. Und damit bekam ich sowohl der Alten als der Jungen ihre Gunst; ja, sie wurden so verträulich mit mir, daß ich mein Vorhaben nicht länger verbergen oder aufschieben konnte, sondern um die Tochter anhielte; darauf ich dann auch das Jawort stracks[23] bekam, doch mit dem ausdrücklichen Geding[24] und Vorbehalt, daß ich mich, solang ich seine Tochter hätte, nirgendshin häuslich niederlassen noch den freien Bettlerstand verlassen und mich unter dem Namen eines ehrlichen Burgersmann irgends einem Herrn untertänig zu machen nicht verführen lassen sollte. Zweitens sollte ich auch fürderhin des Krieges müßig stehen und drittens mich jeweils auf des Blinden Ordre mit seiner Familia[25] aus einem friedsamen, guten Land in das andere begeben. Dahingegen versprach er mir, mich auf solchen Gehorsam also zu leiten und zu führen, daß ich und seine Tochter keinen Mangel leiden sollten, ob wir gleich bisweilen in einer kalten Scheuer vorliebnehmen müßten.

Unsere Hochzeit wurde auf einem Jahrmarkt begangen, da sich allerhand Landstörzer von guten Bekannten[26] beifanden, als Puppaper[27], Seiltänzer, Taschenspieler, Zeitungssinger[28], Haftenmacher[29], Scherenschleifer, Spengler[30], Leirerinnen, Meisterbettler, Spitzbuben und was des ehrbaren Gesindels mehr ist; ein einzige alte Scheuer war genug, beides Tafel und das Beilager darin zu halten, in deren wir auf türkisch auf der Erden herumsaßen und gleichwohl auf altteutsch herumsoffen. Der Hochzeiter und seine Braut mußte selbst in Stroh verliebnehmen, weil ehrlichere Gäste die Würtshäuser eingenommen hatten, und als er murren wollte, um daß sie ihre Jungfrauschaft nicht zu ihm bracht, sagte sie: ›Bistu dann so ein elender Narr, daß du bei einer Leirerin zu finden vermeint hast, das noch wohl andere Kerl, als du einer bist, bei ihren ehrlich geachten[31] Bräuten nicht finden? Wann du in solchen Gedanken gewesen bist, so müßte ich mich deiner Einfalt und Torheit zu krank lachen, sonderlich weil dessentwegen keine Morgengab[32] mit dir bedingt worden.‹ Was sollte ich tun, es war halt geschehen; ich wollte zwar das Maul um etwas henken, aber sie sagte mir austrücklich, wann ich sie dies Narrenwerks halber, das doch nur in einen eitelen Wahn bestünde, verachten wollte, so wüßte sie noch Kerl, die sie nicht verschmähen würden.«

Das XXIII. Kapitel

Seines blinden Schwähers[1], die Schwiegermutter und seines Weibs wird Springinsfeld nacheinander wieder los

»Wiewohl ich dieses Possens halber noch lang hernach grandige[2] Grillen im Capitolio hatte, so war meine Leirerin dannoch so verschmitzt, listig und freundlich, daß sie mir endlich dieselbe nach und nach vertriebe, dann sie sagte, wann mir ja so viel daran gelegen wäre, so wollte sie mir gern vergönnen, ja selbst die Anstalt darzu machen, daß mir anderwärts eine Jungfrauschaft gleichsamb wie im Raub zuteil werden müßte. Aber das junge Rabenaas übertrieb[3] und hielte mich so streng, daß ich anderer wohl vergaß; und eben diese ist's, die mich gelernet hat, kein Tuch mehr zu einem Weib for mich zu kaufen, wann gleich alle

Tag Jahrmarkt wäre. Sie brachte es endlich auch dahin, daß ich beinahe der Knecht, sie und ihre Eltern aber die Herren über mich waren, unangesehen ich so viel mit meiner Geigen, dem Taschenspiel und andere Kurzweil zuwegen brachte, daß ich ein fettes Maulfutter und faule Täge ohne sie hätte haben mögen. Überdas plagte mich die Eifersucht auch nicht wenig, weil ich vielmal mit meinen Augen sehen mußte, daß sie sich viel ausgelassener und geiler[4] gegen den Kerlen herausließe[5], als die Ehrbarkeit einer frommen Leirerin zuließe. Daß ich aber solches alles erduldete und mich endlich ganz und gar darein ergeben konnte, war die Ursach, daß ich meinem Alter nicht trauete, besorgende, dessen herannahende Gebrechlichkeit möchte mich etwan in eine Krankheit werfen, in deren ich alsdann von aller Welt verlassen sein würde, wann ich dies mein ehrlich Weib und ihre ehrbare Freundschaft vorm Kopf stieße, welche gleichwohl bei 300 Reichstalern, das ich nur wußte[6], in Geld beisammen hatten, solches auf dergleichen Notfall anzuwenden. Ja, was noch mehr ist, ich ließe endlich mein Weib als ein junges, geiles Ding grasen gehen[7], wo es wollte, weil ich selbst nicht viel mehr möchte[8], und machte mir hingegen die faule Täge mit Essen und Trinken zunutz; endlich verharret ich in diesem Spenglerleben[9], darin wir gar verträulich miteinander zu hausen anfiengen, daß ich zuletzt keiner Ehrbarkeit mehr achtete.

Indessen haben wir Unter- und Oberösterreich, das Ländlin der Enns[10], das Erzbistum Salzburg und ein gut Teil von Bayern durchstrichen, allwo mir mein Schwähervater an einem Schlagfluß erstickt'; die Mutter folgt' ihm hernach und ließe uns fünf elende Krüppel zu versorgen, der älteste Sohn wollte Herr for sich selbst sein und das Almosen allein suchen, das ließen ich und mein Weib gern geschehen; zu den übrigen vieren aber hatten wir zwanzig Meister for einen, es waren aber nur starke Bettlerinnen, die solche zu sich nahmen, das Almosen mit ihrer Armseligkeit einzutreiben. Wir ließen sie ihnen auch gern folgen, weil wir bedacht waren, unsere Nahrung nicht mehr unter dem Schein elender Bettler, sondern durch unser Saitenspiel zu gewinnen, welches reputierlicher zu sein schiene und meinem Weib, wie ich darforhalte, auch besser zuschlug[11].

Derowegen ließe ich mich und sie ein wenig besser kleiden, nämlich auf die Mode, wie Leirergesindel aufzuziehen pflegt; auch bekam ich zu meiner Gaukeltaschen etliche Puppen, damit ich hin und wieder den Bauren umbs Geld ein angenehme Kurzweil machte, dann wir fiengen an und zogen nur den Jahrmärkten und Kirchweihen nach, welches unser Geld nach und nach ziemlich vermehrte. Wir saßen einsmals beieinander im Schatten an einem lustigen Gestad eines stillen, vorüberfließenden Wassers, nicht nur zu ruhen, sondern auch zu essen und zu trinken, was wir mit uns trugen; da machten wir Anschläg[12], wie wir auch einem Puppaperkram[13] mit einem Glückhafen[14], Trillstern[15], Würfel und Riemenspiel[16] aufrichten wollten, um unsern Gewinn damit zu vermehren, dann wir hielten darfor, wann eins nicht abgieng[17], so gieng doch das ander; unter solchem Gespräch sahe ich an dem Schatten oder Gegenschein eines Baums im Wasser etwas auf der Zwickgabel[18] liegen, das ich gleichwohl auf dem Baum selbst nicht sehen konnte; solches wiese ich meinem Weib wunderswegen[19]. Als sie solches betrachtet und die Zwickgabel gemerkt, warauf solches lag, klettert' sie auf den Baum und holet' herunter, was wir im Wasser gesehen hatten. Ich sahe ihr gar eben zu und wurde gewahr, daß sie in demselben Augenblick verschwand, als sie das Ding, dessen Schatten wir im Wasser gesehen, in die Hand genommen hatte; doch sahe ich noch wohl ihre Gestalt im Wasser, wie sie nämlich den Baum wieder herunterkletterte und ein kleines Vogelnest in der Hand hielte, das sie vom Baum heruntergenommen hatte. Ich fragte sie, was sie for ein Vogelnest hätte, sie hingegen fragte mich, ob ich sie dann sähe. Ich antwortet': ›Auf dem Baum sehe ich dich selbst nicht, aber wohl deine Gestalt im Wasser.‹ ›Es ist gut‹, sagte sie, ›wann ich hinunterkomm, so wirst du sehen, was ich habe.‹ Es kam mir gar verwunderlich vor, daß ich mein Weib sollte reden hören, die ich doch nicht sahe, und noch seltsamer war's, daß ich ihren Schatten an der Sonnen wandeln sahe und sie selbst nicht! Und da sie sich besser zu mir in den Schatten näherte, so daß sie selbst keinen Schatten mehr warf, weil sie sich nunmehr außerhalb dem Sonnenschein im Schatten befand, konnte ich gar nichts mehr von ihr merken, außer daß ich ein kleines Geräusch vernahm, das sie beides mit ihren Fußtritten und ihrer Kleidung machte, welches mir vorkam, als wann ein Gespenst um mich herumer gewesen wäre. Sie setzte sich zu mir und gab mir das Nest in die Hand; sobald ich dasselbige empfangen, sahe ich sie wiederumb, hingegen aber sie mich nicht. Solches probierten wir oft miteinander und befanden jedesmal, daß dasjenige, so das Nest in Händen hatte, ganz unsichtbar war. Darauf wickelt' sie das Nestlein in ein Nastüchel, damit der Stein oder das Kraut oder Wurzel, welches sich im Nest befande und solche Würkung an sich hatt, nicht herausfallen sollte und etwan verloren würde; und nachdem sie solches neben sich gelegt, sahen wir einander wiederum wie zuvor, ehe sie auf den Baum gestiegen; das Nestnastüchel sahen wir nicht, konnten es aber an demjenigen Ort wohl fühlen, wohin sie es gelegt hatte.

Ich mußte mich über diese Sache, wie leicht zu gedenken, nicht wenig verwundern, als warvon ich mein Lebtage niemalen nichts gesehen noch gehöret; hingegen erzählte mir mein Weib, ihre Eltern hätten vielmal von einem Kerl gesagt, der ein solches Nest gehabt und sich durch dessen Kraft und Würkung ganz reich gemacht hätte; er wäre nämblich an Ort und Ende hingangen, da viel Geld und Guts gelegen, das hätte er unsichtbarerweis hinweggeholet und ihm dardurch einen großen Schatz gesamblet; wann ich derowegen wollte, so könnte ich durch dies Kleinod unserer Armut auch zu Hülf kommen. Ich antwortete: ›Dies Ding ist mißlich und gefährlich, und möchte sich leicht schicken, daß sich irgends einer fände, der mehr als andere Leut sehen könnte, durch welchen alsdann einer erdappt und endlich an seinen allerbesten Hals aufgehenkt

werden möchte; ehe ich mich in eine solche Gefahr begeben
und allererst in meinen alten Tagen wiederum aufs Stehlen
legen wollte, so wollte ich ehender das Nest verbrennen.‹
Sobald ich dies gesagt und mein Weib solches gehöret hatte,
erwischte sie das Nest, gieng etwas von mir und sagte: ›Du
albere alte Hundsfutt[20], du bist weder meiner noch dieses
Kleinods wert, und es wäre auch immer schad, wann du
anderster als in Armut und Bettelei dein Leben zubringen
solltest; gedenke nur nicht, daß du mich die Tage deines
Lebens mehr sehen, noch dessen, was mir dies Nest eintra-
gen wird, genießen sollest.‹ Ich hingegen bat sie, wiewohl
ich sie nicht sahe, sie wollte sich doch in keine Gefahr
geben, sondern sich mit deme genügen lassen, was wir täglich vermittelst unsers Saitenspiels von ehrlichen Leuten erhielten, dabei wir gleichwohl keinen Hunger leiden dörften.
Sie antwortet': ›Ja, ja, du alter Hosenscheißer, gehei[21] dich
nur hin und brühe[22] deine Mutter‹ etc.«

Das XXIV. Kapitel

*Was die Leirerin for lustige Diebsgriffe und andere Possen
angestellt; wie sie ein unsichtbarer Poldergeist, ihr Mann
aber wieder ein Soldat gegen dem Türken wird*

»Als ich nun mein leichtfertig Weib weder mehr hören noch
sehen konnte, schrie ich ihr gleichwohl nach, sie sollt ihren
Büntel oder Pack auch mitnehmen, welchen sie bei mir liegen lassen, dann ich wußte wohl, daß sie kein Geld darinnen, sondern unsere Barschaft in ihre Brust vernähet hatte.
Demnach gieng ich den nächsten Weg gegen die Hauptstadt[1] desselbigen Landes, und wiewohl ihr Nam fast[2]
geistlich tönet[3], so gieng ich doch hinein, meine Nahrung
mit dem Ton meiner weltlichen Schalmei und Geigen darin
zu suchen.
Damals fanden sich venezianische Werber daselbsten, wel-

che mich dingten, daß ich ihnen mit meinem Saitenspiel und anderen kurzweilig- und verwunderlichen Gaukelpossen einen Zulauf machen sollte; sie gaben mir neben Essen und Trinken alle Tag einen halben Reichstaler, und da sie sahen, daß ich ihnen besser zuschlug als sonst drei Spielleut oder einige andere Lockvögel, die sie auf ihren Herd[4] hätten wünschen mögen, andere zu fangen, überredeten sie mich, daß ich Geld nahm und mich stellete, als wann ich mich auch hätte unterhalten[5] lassen; und dieses machte, daß ich ihrer noch viel, die sonst nicht angangen wären, durch mein Zusprechen in ihre Kriegsdienste verstrickte. Unser Tun und Lassen war nichts anders als Fressen, Saufen, Danzen, Singen, Springen und sich sonst lustig zu machen, wie es dann pflegt herzugehen, wo man Volk annimbt[6]. Aber dieses Henkermal bekam uns hernach in Candia[7] wie dem Hund das Gras[8], der wohl büßet, was er gefressen.

Als ich einsmals ganz allein auf dem Platz daselbsten stund, das schöne Bild auf der Säulen[9] allda betrachtete und sonsthin nirgends gedachte, wurde ich gewahr, daß mir etwas Schweres in Hosensack hinunterrollete, welches ein Gerappel[10] machte, daß ich daraus wohl hören konnte, daß es Reichstaler waren. Da ich nun die Hand in Sack steckte und ein Handvoll Taler griffe, höret ich zugleich meines Weibs Stimm, die sagte zu mir: ›Du alter Hosenscheißer, was verwunderst du dich über dies paar Dutzed Taler? Ich gib sie dir, damit du wissest, daß du deren noch mehr habe, auf daß du dich zu grämen Ursach habest, um willen du dich meines Glücks nicht teilhaftig gemacht; for diesmal gehe hin und verkauf[11] diese, auf daß du deines Elends ein wenig vergessen mögest.‹ Ich sagte, sie sollte doch mehr mit mir reden, mir meinen Fehler vergeben und Reguln[12] vorschreiben, wie ich mich gegen ihr verhalten und die Versöhnung wieder erlangen sollte; aber sie ließe sich gegen mir ferners weder hören noch sehen. Derowegen gieng ich in meine Herberg und zechte beides mit den Werbern und ihren Neugeworbenen im Branntwein bis in den

Mittag hinein, bei welchem Imbiß wir von unserem Würt Zeitung[13] bekamen, daß einem reichen Herren in der Stadt viel Gold und Silber von Geld und Kleinodien ausgefischt worden wären, darunter sich tausend Reichstaler und tausend doppelte Dukaten eines Schlags[14] befanden. Ich spitzte die Ohren gewaltig, nahm ein Abtrittel aufs Sekret, als hätte ich sonst was tun wollen, beschaute aber nur meine Taler, deren 30 waren, und sahe ihnen an, daß mein ehelichs Weib obbemeldten reichen Zug getan; sahe mich derowegen wohl vor, damit ich keinen darvon ausgabe und mich nicht etwan selbst dardurch in Argwohn, Gefahr und Not brächte. Aber was tat mein Weib, das junge Rabenaas? Sie hat nicht nur mir, sondern bei hundert Personen unterschiedlichen Stands von ihren gestohlenen Talern hin und wieder dem einen drei, dem andern vier, fünf, sechs, auch mehr in die Säcke gesteckt; was nun reich, ehrlich und fromm war, das brachte das Geld seinem rechten Herrn wieder, was aber arm, gewissenlos und meinesgleichen gewesen, hat ohne Zweifel sowohl als ich behalten, was es in seinem Sack gefunden; und ich kann nicht ersinnen, warum sie dies getan haben muß, es habe sich dann diese Vettel mit so schwerem Geld nicht schleppen mögen. Doch kann auch wohl sein, daß sie solches per[15] Spaß getan, um etwas anzustellen, darüber sich die Leute zu verwundern hätten; dann als es gegen Abend kam, da das Volk aus der Salve[16] gieng und hin und wieder auf dem Platz stunde, seind bei zweihundert derselbigen Taler von oben heruntergeworfen, von den Leuten aufgelesen und mehrenteils ihrem Herrn zugestellt worden. Dieses verursachte, daß des Herrn unschuldig Gesind, welches des Diebstahls halber im Verdacht und deswegen befänknüst[17] war, wiederum auf freien Fuß gestellt wurde; und hoffte der bestohlne Herr, seine doppelte Dukaten würden auch wie die Taler wieder hervorkommen, aber es geschahe nicht, dann das holde Gold ist viel schwerer als das Silber, und Sol ist nicht so beweglich oder leichtveränderlich wie Luna[18].

Den andern Tag wurde bei einem großen Herrn ein statt-

lich Pankett gehalten, darbei sich viel andere große Herren
und ansehnlich Frauenzimmer befande; diese saßen alle in
einem schönen, großen Saal und hatten die vier besten
Spielleut in der ganzen Stadt bei sich. Da es nun bei dem
Konfekt auch an einen Tanz gehen sollte, ließe sich unversehens bei den Spielleuten auch eine Leir hören, mit großem
Schrecken aller deren, die im Saal waren; die erste, die aus-
rissen, waren die Spielleut selbst, als welche das Geschnarr[19]
zunächst bei ihnen gehöret und doch niemand gesehen hatten; ihnen folgten die übrige mit großer Forcht, und ihr
Geträng wurde desto heftiger, weil sie in dem Winkel, darin
die Spielleute gesessen, ein gählings[20] Gelächter noch mehrers erschreckte; also daß wenig gefehlet, daß nicht etliche
unter[21] der Türen ertruckt wären worden. Nachdem nun
jedermänniglich den Saal erzähltermaßen geraumt hatte,
sahen etliche, so vor der Tür stehen zu bleiben und von
fernen in Saal zu schauen das Herz behalten, wie bisweilen
ein paar Sessel, bisweilen ein paar silberne Tischbecher,
Blatten und ander Geschirr miteinander herumtanzten; und
obgleich dies Spiegelgefecht zeitlich ein End nahm, so hatte
jedoch noch lang niemand das Herz, in den Saal zu gehen,
unangesehen man Geistliche und Soldaten geholet, das Gespenst entweder mit Gebet oder mit Waffen abzutreiben.
Den Morgen frühe aber, als man wieder in den Saal kam
und nicht ein einziger Leffel, geschweige etwas anders von
Silbergeschirr nicht mangelte[22], ohnangesehen die ganze
Tafel damit überstellet[23] war, stärkte diese Begebenheit
den Wahn des gemeinen, unbesonnenen Pöfels dergestalten,
daß diejenige lucke[24] Klügling (die gestern wegen der seltzamen Geschicht mit dem gestohlnen Geld gesagt hatten:
›So recht, so muß der Hagel in die größte Häufen schlagen,
damit das Geld auch wieder unter den gemeinen Mann
kommt‹) anjetzo sich nicht scheueten, zu lästern und zu
sagen: ›Also muß der Teufel einen Spielmann abgeben, wo
man der Armen Schweiß verschwendet.‹
Noch eins muß ich erzählen, das meine andere und viel
ärgere Courage als die erste Unholde meines Darforhaltens

118

aus lauter Rach angestellt. Sie hatte kurz zuvor einer Abtissin auf einem großen und reichen Stift zu Gefallen ihre Leir gestimmt, um derselben ein Liedlein, und zwar ein geistliches, aufzuspielen, der Hoffnung, etwan einen halben oder ganzen Kreuzer[25] zur Verehrung zu erhalten. Aber anstatt daß diese hören und ihre milde Hand auftun sollte, tät sie etwas zu streng und scharf den Mund auf und ließe hingegen mein guts Weibchen eine Predigt hören, die ihr ebenso verdrüßlich als unverdaulich fiele; dann sie war eines solchen Inhalts, damit man die allerleichtfertigsten Weibspersonen zu erschrecken und zur Besserung ihres Lebens zu zwingen und anzufrischen[26] pflegte. Ach, die gute Abtissin mag's wohl gut gemeinet und ihr etwan eingebildet haben, sie hätte irgends eine Laienschwester zu kapiteln[27] vor sich. Ach nein, sie hatte ein ander Taus-Es[28], eine Schlang oder wohl gar einen halben Teufel, deren Zung ich öfters schärfer als ein zweischneidig Schwert befunden habe. ›Potz Herrgett[29], Gnäd. Frau, seht Ihr mich dann for eine Hur an?‹ antwortet' sie ihr; ›Ihr müßt wissen, daß ich meinen ehrlichen Mann habe und daß wir nicht alle Nonnen oder reich sein oder unser Brot bei guten, faulen Tägen essen können; hat Euch Gott mehr als mich beseligt, so dankt ihm darum, und wollt Ihr mir seinetwillen kein Almosen geben, so laßt mich im übrigen auch ungestiegelfritzt[30]. Wer weiß, wann vielleicht nicht so viel Almosen gegeben worden wären, ob nicht mehr Leirerin als Nonnen gefunden würden‹, etc. Mit solchen und mehr Worten schnurrete[31] sie damals darvon. Jetzunder aber hatte man auf dem Land und in der Stadt von sonst nichts zu sagen als von der Abtissin und einem Poldergeist, der sie so tags so nachts unaufhörlich plage, welches sonst niemand als mein Weib war. Das erste, das sie ihr tat, war, daß sie ihr die Ring des Nachts von den Fingern und die Kleider vom Bett hinwegnahm und solches in die Pfisterei[32] trug. Dem Bäcken steckte sie die Ring an seine Finger und legte der gnädigen Frauen Habit zu dessen Füßen, ohne daß sie dieselbe Nacht jemand gehöret oder gemerkt hätte; und solches hat sie ohn Zweifel durch den Hauptschlüssel zuwege gebracht, den sie beim Kopf kriegt'[33], weil er ungefähr um dieselbe Zeit verloren worden. Was nun hierdurch gleich in der erste[34] der guten Abtissin for ein Verdacht zugewachsen, kann man leicht erachten; man redete noch von vielen Sachen, damit sich das Gespenst mit der Abtissin vexiert[35], worwider weder Weihwasser, Agnus Dei[36] noch andere Sachen nichts[37] helfen wollten, darvon man aber die Wahrheit außerhalb dem Kloster nicht wohl erfahren konnte.

Indessen hatten meine Werber die Anzahl ihrer Mannschaft zusammengebracht, und indem ich vermeinte, ich dörfte zuruckbleiben, siehe, da befand sich der Betrüger selbst betrogen und mußte der gute Springinsfeld ebensowohl als die andere um[38] die Candische Gruben springen, die er andern durch sein Zusprechen gegraben hatte; doch daß ich die Stell eines Korporals zu Fuß bedienen sollte.«

Das XXV. Kapitel

Was und wie Springinsfeld in Candia kriegt'[1], auch wie er wieder in Teutschland kam

»Also nahmen wir (die wir unser Leben verkauft hatten und dannoch zu Erhaltung desselbigen ritterlich zu fechten gedachten) unsern Weg über den Zyrlberg[2] auf Ynnspruck[3], folgends über den Brenner auf Trient[4] und dann ferners nach Treviso[5], allwo wir alle ganz neu gekleidet und von dannen vollends nach Venedig geschickt, daselbst armiert[6] und, nachdem wir ein paar Tag ausgeruht, zu Schiff gebracht, nach Candia geführt wurden; in welchem elenden Anblick[7] wir auch glücklich anlangten. Man ließe uns nicht lang feiren[8] oder viel Schimmel unter den Füßen wachsen, dann gleich den andern Tag fielen wir aus[9] und wiesen, was wir konnten oder vermochten, unseren armseligen

Steinhaufen beschützen zu helfen. Und dasselbe erste Mal glückte es mir selbsten so wohl, daß ich drei Türken mit meiner halben Pike spießte, welches mich so leicht und gering ankame, daß ich mir noch bis auf diese Stund einbilden muß, die arme Schelmen seien alle drei krank gewesen. Aber Beute zu machen war ferne von mir, weil wir sich gleich wieder heimretirieren[10] mußten. Den andern Tag gieng es noch doller her, und ich brachte auch zween Männer mehr als den vorigen um, doch solche Tropfen, von welchen ich nicht glaubte, daß sie alle fünfe ein einzige Dukat vermöcht haben; dann mich dunkte, sie seien solche Gesellen gewesen, dergleichen es oft bei uns auch geben hat, die nämblich mit Darsetzung ihres Lebens die, so Taler hatten, beschützen, bewachen und noch darzu mit ihren arbeitsamen Händen und ritterlichen Fäusten die Ehre der erhaltenen Uberwindung erobern und ihnen noch drüberhin beides die Ehre, die Beut und die Belohnung darvon überlassen mußten; dann mir wurden niemal kein Beg[11] oder Beglerbeg[12], viel weniger gar ein Bassa[13] unter denjenigen zu sehen, die vorhanden waren, ihr Blut an das christliche zu setzen[14]. Doch mag wohl sein, daß der Antreiber hinder den Truppen von solchem Staff[15] mehr gewesen seien als der Anführer vornen an der Spitzen.

Solche Art zu kriegen machte mich unwillig und verursachte, daß ich mitten in Candia der Schweden erkanntliche[16] Manier loben mußte, die ihre ohnedle[17] Soldaten (sie wären gleich fremder oder heimischer Nation gewesen) höcher als ihre edle und doch ohnkriegbare[18] Landsleut ästimiert; wannenhero sie dann auch so großes Glück gehabt haben. Doch ließe ich mich ein als den andern Weg[19] zu allem demjenigen gebrauchen, was einem redlichen Soldaten zustehet; ich folgte auf der Erden wie ein ehrlicher Landsknecht, und unter derselbigen befliße ich mich auch, die Künste der Maulwürfe zu übertreffen[20], und erwarbe doch nichts anders darmit als bisweilen eine geringe Verehrung[21]. Und als kaum der zehende Mann von denen mehr lebte, die mit mir aus Teutschland kommen waren,

wurde der elende Springinsfeld über den noch elenderen
Rest seiner kranken Kameraten zu einen Sergeant[22] gemacht, gleichsamb als wann sein abgematter Leib und äch-
zender Geist hierdurch wieder in die vorige Kräfte und
Courage hätte gesetzt werden können.

Hierdurch nun bekame ich Ursach, mich noch besser abzu-
merglen; ich half die noch wenig übrige Roß fressen und
verrichtet hingegen selbst größere als Roßarbeit; indem mich
nun in solchem Zustand kein feindlicher Musketenschuß
fällen oder ein tirkischer Säbel verwunden konnte, siehe, so
schlug mir ein Stein aus einer springenden Minen so un-
barmherzig an meinen einen Fuß, daß mir das Gebein in
den Waden wie Sägmehl darvon zermalmet wurde und
man mir den Schenkel alsobalden bis über das Knie hin-
wegnehmen mußte. Aber dies Unglück kam nicht allein,
dann als ich dort lag als ein soldatischer Patient, mich an
meinem Schaden kurieren zu lassen, bekam ich noch darzu
die rote Ruhr mit einem großen Hauptwehe, worvon mir
der Kopf ebensosehr mit Fabeln[23] als mein Liegerstatt mit
Unlust[24] erfüllt wurde.

Nichts gesünder war mir damals, als daß mir Hoch und
Nieder Zeugnus gab, ich wäre ein Ausbund von einem
guten Soldaten gewesen; dann auf solches Lob wurden auch
andere Medikamenten nicht gesparet, wiewohl die Venezia-
ner ihre Soldaten sowohl als ihre Besem[25] pflegen hinzu-
werfen, wann sie solche ausgebraucht haben. Aber ich genosse[26] auch anderer ehrlicher Kerl, die noch lebten und
das Ihrige taten, damit sie kein Exempel hätten, das sie träg
und verdrossen machen möchte. Als nun solche auch so
dünn wurden, daß wir auf die letzte kaum einen oder
zween, die ihr völlige Gesundheit entweder bishero erhalten oder doch wieder erholet hatten, auf die Posten tun
konnten, siehe, da wurde es unversehens Friede, als wir beinahe in letzten Zügen lagen. Nach unserer Abführung[27]
und nachdem ich viel Ungelegenheit auf dem Meer ausgestanden, langten wir endlich zu Venedig wieder an; viel
von uns und unter denselben ich auch, die da verhofft hat-

ten, dorten mit Lorbeerkränzen bekrönet und mit Gold überschüttet zu werden, wurden in das Lazarett daselbst logiert, allwo ich mich behelfen mußte, bis ich gleichwohl wieder heil wurde und auf meinem hölzernen Bein herumerstelzen konnte.

Folgends bekam ich meinen ehrlichen Abschied und etwas weniges an Geld, dann ich wurde nicht so wohl bezahlt, als wann ich den redlichen Holländern in Ostindia gedient gehabt hätte. Hingegen wurde mir zugelassen, daß ich von ehrlichen Leuten eine Steuer[28] zur Wegzehrung bettlen dorfte, und dergestalt komplettieret ich die Zahl meiner Dukaten, die ich noch habe, weil mir mancher Signor[29] und manche andächtige Matron[30] vor den Kirchen ziemlich reichlich mitteilten; ich bedorfte for keinen Soldaten aus Candia zu bettlen, dann man kannte uns ohnedas, sintemal wir fast alle, was übrig verblieben von uns, unsere Haare verloren hatten, sehr mager und ausgehungert und so schwarz aussahen wie die allerschwärzste Zigeiner. Weilen mir dann nun das Bettlen so wohl zuschlug, trieb ich's fort, bis ich von Venedig wieder in Teutschland ankam, der Hoffnung, mein Weib wiederum anzutreffen und sie damit zu erfreuen, daß ich das Handwerk so wohl gelernet und auch einen guten Werkzeug darzu, nämlich meinen Stelzfuß, mitbrächte; dann ich gedachte, dies Ding kann ihr nicht übel gefallen, weil sie selbst aus dem vornehmsten Stammen der Erzbettler entsprossen.«

Das XXVI. Kapitel

Was die Leirerin weiters for Possen angestellt und wie sie endlich ihren Lohn bekommen habe

»Damit ich dann solches mein liebes Weibchen desto ehender wieder antreffen möchte, so gesellete ich mich zu allerhand Störern[1], Landläufern und solchen Leuten, bei welcher Gattung sie die meiste Zeit ihres Lebens zugebracht; bei denselben fragte ich fleißig nach, konnte aber weder Stumpf noch Stiel[2] von ihr erfahren. Endlich kam ich auch in diejenige Stadt, darinnen ich etwan hiebevor in die venezianische Kriegsdienste kommen; daselbst gab ich mich meinem Wirt zu erkennen und erzählte ihm, wie mir's seithero in Candia gangen, der mir dann als ein guter alter Teutscher und zeitungbegieriger Mann gar andächtig zuhörete. Und als ich hingegen auch fragte, was sich seithero meiner Abwesenheit Guts bei ihnen zugetragen, kam er unter andern auch auf das Gespenst, das hiebevor die Abtisse so visierlich[3] geplagt und vexiert, welches aber nunmehr wieder allerdings aufgehört hätte, also daß man darforhalte, dasselbe Gespenst sei eben dasjenige wunderbarliche Weibsbilde gewesen, deren Körper neulich ohnweit von hinnen[4] verbrannt worden wäre. Weilen dann nun dies ebendasjenige war, was ich zu wissen verlangte, so spitzte ich nicht allein die Ohren, sondern bat auch, er wollte mir doch die Histori ohnschwer[5] erzählen.

Darauf fuhre der Wirt in seiner Rede fort und sagte: ›Eben damals, als die Abtissin von dem Gespenst so gequält und allerdings in einen Argwohn gebracht wurde, als buhle sie mit ihrem Pistor[6], trugen sich andere dergleichen Possen mehr beides hier in der Stadt und auf dem Lande zu; also daß teils[7] Leute vermeinten, es wäre dem Teufel selbst verhängt[8] worden, diese Gegend zu plagen. Teils kamen die Speisen vom Feur, anderen ihre Geschirr voll Wein oder Bier, dem dritten sein Geld, dem vierten seine Kleider, ja sogar etlichen die Ringe von den Fingern hinweg; welche Sachen man hernach doch anderwärts in andern Häusern und auch bei andern Personen ohne ihr Wissen, daß sie es hatten, wieder mehrenteils gefunden, woraus jeder Verständiger leicht schlosse, daß der ehrlichen Abtisse auch Unrecht geschehen wäre; dann das war folgender Zeit gar nichts Neues mehr, daß einer und der andern Person nächtlicher Zeit die Kleider hinweggenommen und andere darfor hingelegt worden, ohne daß man wissen konnte, wie solches

zugangen und geschehen wäre. Es hielte ohnlängst hernach
ein Freiherr nicht weit von hinnen Beilager, worbei es wo
nit fürstlich, jedoch gräflich hergieng; bei welchem hoch-
zeitlichen Ehrenfest der Braut ihr herrlicher Schmuck und
Kleidung, damit sie denselben Tag geprangt hatte, sambt
dem Nachtzeug, hinweggenommen und hingegen ein schlecht
Weiberkleid voller Läuse, wie es die Soldatenweiber zu tragen pflegen, darfor hingelegt wurde, welches viel for ein
Zeichen hielten einer künftigen unglückseligen Ehe. Aber
diese Wahrsager gaben damit nur ihre Unwissenheit zu erkennen.

Den nächst hierauf folgenden Maimonat spazierte ein
Bäckenknecht auf einen Sonntag in einen etwan drei Meil
von hier entlegenen Wald, des Willens, Vogelnester zu
suchen und junge Vögel auszunehmen. Dieser war beides
von Angesicht und Leibesproportion ein schöner, ansehn-
licher Jüngling und darneben fromm und gottsförchtig.
Wie er nun an einem Wässerlein hinaufschliche und sich
hin und wieder umschauete, wurde er eines Weibsbildes
gewahr, die sich in demselbigen Wasser badet'. Er vermeinte,
es wäre irgends eine Dirn[9] aus dem Flecken, darin er damals dienete; derowegen ließe er sich durch den Fürwitz[10]
bereden, daß er sich niedersetzte zu verharren, bis sie sich
anlegte[11], damit er sie an den Kleidern kennen und alsdann
etwas an ihr, um daß er sie nackend gesehen, zu vexieren
haben möchte. Es gieng, wie er gedachte, aber doch etwas
anders, dann nachdem diese Dame aus dem Wasser gestiegen, legte sie keine Baurnjuppe[12] an, sondern ein ganz silbern Stück[13] mit guldenen Blumen; hernach setzte sie sich
nieder, kämpelte[14] und zöpfte ihre Haar, legte köstliche
Perlein[15] und andere Kleinodien um den Hals und zierte
ihren Kopf dergestalt mit dergleichen Geschmuck, daß sie
einer Fürstin gleichsahe. Der gute Bäckenknecht hatte ihr
bishero mit Forcht und Verwunderung zugesehen, und weil
er sich vor ihrer ansehenlichen Gestalt entsetzte, wollte er
darvongehen und sich stellen, als wann er sie gar nicht gesehen hätte. Weil er aber gar zu nahe bei ihr war, also daß

sie ihn sehen mußte, schrie sie ihm zu und sagte: ‚Höret, junger Gesell, seid Ihr dann so grob und unhöflich, daß Ihr nicht zu einer Jungfrauen gehen dörft?‘ Der Bäck wandte sich um, zog seinen Hut ab und sagte: ‚Gnädiges Fräulein, ich gedachte, es zieme sich nicht, daß ein un-adelicher Mensch, wie ich bin, sich zu einem solchen an-sehnlichen Frauenzimmer nähere.‘ ‚Das müßt Ihr nicht sa-gen‘ antwortet’ die Dama, ‚dann es ist ja ein Mensch des andern wert, und überdas hab ich schon etliche hundert Jahr allhier auf Euch gewartet, sintemal es dann nun Gott einmal geschickt hat, daß wir diese lang gewünschte Stunde erlebt haben, so bitte ich Euch umb Gottes willen, Ihr wollet Euch zu mir niedersetzen und vernehmen, was ich mit Euch zu reden habe.‘

Dem Bäckerknecht war anfangs bang, weil er sorgte, es wäre ein teufelischer Betrug, dardurch er zum Hexenhand-werk verführt werden sollt; als er sie aber Gott nennen hörete, setzte er sich ohne Scheu zu ihr nieder, sie aber fieng folgendergestalt an zu reden.

‚Mein allerliebster und wertester Herzfreund, ja nach dem lieben Gott mein einiger[16] Trost, mein einzige Hoffnung und mein einziger Zuversicht, Euer lieber Nam ist Jakob, und Euer Vaterland heißt Allendorf; ich aber bin Mino-landa, der Melusinen[17] Schwester Tochter, die mich mit dem Ritter von Stauffenberg[18] erzeugt und dergestalt ver-flucht hat, daß ich von meiner Geburt an bis an Jüngsten Tag in diesem Wald verbleiben muß, es sei dann Sach, daß Ihr mich zu Euerer Herkunft zu Euerm Ehegemahl erwäh-len und dardurch von solcher Verfluchung erlösen werdet; doch mit diesem austrucklichen Vorbehalt und Geding, daß Ihr Euch wie bisher vor allen Dingen der Tugend und Got-tesforcht befleißigen, aller anderer Weibsbilder müßig gehen[19] und diesen unsern Heurat ein ganz Jahr lang ver-schwiegen halten sollet; darum so sehet nun, was Euch zu tun ist; werdet Ihr mich ehelichen und diese Ding halten, so werde ich nicht allein erlöst, sondern wie ein ander Mensch[20] auch Kinder zeugen und zu seiner Zeit seliglich aus dieser Welt abscheiden, Ihr aber werdet der reichst und glückseligst Mann auf Erden werden; wann Ihr mich aber verschmähet, so muß ich, wie Ihr bereits gehöret habt, bis an Jüngsten Tag hier verbleiben und werde alsdann über Euere Unbarmherzigkeit ewiglich Rach schreien, das Glück aber, so Ihr alsdann Euer Lebtag haben werdet, werden auch die Allerunglückseligste nicht mit Euch teilen wollen.'

Der Bäckenknecht, der sowohl die Geschichte oder Fabul[21] der Melusinae als[22] des Ritters von Stauffenberg gelesen und noch viel mehr dergleichen Märlin von verfluchten Jungfrauen gehöret hatte, glaubt' alles, was ihm gesagt worden. Derohalben besonne er sich nicht lang, sondern gab das Jawort von sich und bestätiget' solche Ehe mit oft wiederholtem Beischlaf. Sie aber gab ihm nach verrichter Arbeit etliche Dukaten und nahm ein güldenes Kreuzlein, mit Diamanten besetzt und mit Heiligtum[23] gefüllt, von ihrem Hals, das sie ihm gleichfalls zustellte, damit er nicht sorgen sollte, er hätte vielleicht mit einem Teufelsgespenst zu tun. Und zum Beschluß wurde abgeredet, daß sie ihn fürderhin die meiste Nächte in seiner Schlafkammer besuchen wollte, worauf sie vor seinen Augen verschwunden.

Es waren kaum vier Wochen vergangen, als dem Bäckenknecht bei der Sach anfieng zu grausen; und indem ihm sein Gewissen sagte, es könnte mit dieser heimlichen und wunderbarlichen Ehe nicht recht hergehen, da ereignete sich eine Gelegenheit, mit deren er hieherkam und seinem Beichtvater alle Geschichte außerhalb der Beicht vertraute. Als dieser verstunde, was diese Meerfein[24] oder Minolandae, wie sie sich genennet, for einen Habit anhatte, und sich darbei erinnerte, daß ebeneinsolcher einer vornehmen Fräulin bei ihrem Beilager entwendet worden, gedachte er der Sach ferner nach und begehrt' auch das Kreuzlein zu sehen, so ihm seine Beischläferin verehrt hatte. Als er solches sahe, überredet' er den Bäckenknecht, daß er's ihm nur ein einzige halbe Stund ließe, selbiges einem Jubilierer[25] zu weisen, um zu vernehmen, ob das Gold auch just[26] und

127

die Steine auch gut wären. Er aber verfügte sich sogleich damit zu obengemeldter Frauen, die zu allem Glück hier war; und als sie solches for das Ihrig erkannte, wurde der Anschlag gemacht, wie diese Melusina beim Kopf bekommen werden möchte, worzu der geängstigte Bäckenknecht seinen Willen gab und alle mögliche Hülf zu tun versprach.

Diesem nach wurden den dritten Abend zwölf beherzte Männer mit Partisanen[27] geschickt, die in des Bäcken Kammer um Mitternacht stürmten und Türen und Läden wohl in acht nahmen[28], damit, als solche eröffnet, niemand hinaus entrinnen könnte: Sobald solches geschahe und auch zugleich zween mit Fackeln in das Zimmer getreten waren, sagte der Bäcker zu ihnen: ,Sie ist schon nit mehr da'; er hatte aber das Maul kaum zugetan, da hatte er ein Messer mit einem silbern Heft in der Brust stecken, und ehe man solches recht wahrgenommen, da stak einem andern, der eine Fackel trug, eins im Herzen, davon derselbige alsobald tot darniederfiele. Einer von den Bewehrten ermaße, aus welcher Gegend diese Stich herkommen waren, sprang derowegen zuruck und führte einen solchen starken Streich gegen demselben Winkel zu, daß er damit der so unseligals unsichbarn Melusinen die Brust bis auf den Nabel herunter aufspielte[29]. Ja, dieser Streich war von solchen Kräften, daß man nit allein die vielgedachte[30] Melusina selbst dort tot liegen, sondern ihr auch Lung und Leber sambt dem Ingeweid in ihrem Leib und das Herz noch zappeln sehen konnte; ihr Hals hieng voller Kleinodien, die Finger staken voll köstlicher Ring, und der Kopf war gleichsamb in Gold und Perlen eingehüllet; sonst hatte sie nur ein Hemd, ein doppeldaften[31] Underrock und ein Paar seidene Strümpfe an, aber ihr silbern Stück, das sie auch verraten, lag unter dem Hauptkissen.

Der Bäcker lebte noch, bis er gebeicht und kommuniziert hatte, er starb aber hernach mit großer Reu und Leid und verwundert' sich, daß so gar kein Geld bei seiner Schläferin gefunden worden, dessen sie doch ein Uberfluß gehabt hätte. Sie ist ohngefähr aus ihrem Angesicht for 20 Jahr alt geschätzt und ihr Körper als einer Zauberin verbrannt, der Bäck aber mit obgemeldten Fackelträger in ein Grab gelegt worden. Wie man noch vor seinem Abschied erfuhr, so hatte das Mensch beinahe eine österreichische Sprach gehabt.«»

Das XXVII. Kapitel

Endlicher Beschluß von des Springinsfelds seltzamem Lebenslauf

»Durch diese Erzählung erfuhr ich, was das wunderbarliche Vogelnestlein bei meinem Weib gewürkt, wie sie der Kützel[1] ihres geilen Fleisches zur Ehebrecherin, zur Mörderin (mich selbst aber zu guter Letze[2] zum Hahnrei) gemacht und sie endlich selbst in einen elenden Tod, ja gar ins Feuer gebracht habe. Ich fragte den Wirt, ob sich sonst nichts weiters mit ihr zugetragen. ›Potz‹, antwort' er, ›das Beste und Notabelste[3] hätte ich schier[4] vergessen; es ist bei ihrem Tod einer von den Hellebardieren[5], ein junger, frischer Kerl, mit Leib und Seel, Haut und Haar, Kleidern und allem hinwegkommen, daß bisher kein Mensch erfahren, wohin er geflogen oder gestoben sei. Und solches, sagt man, sei ihm widerfahren, als er sich gebuckt, ein Nastüchlein (welches auch zugleich verschwunden) aufzuheben, so diesem wunderbarlichen Weibsbilde zuständig gewesen.‹ ›Ho, ho‹, gedacht ich, ›jetzt weißtu auch, daß dein Nestlein wieder einen anderen Meister[6] hat; Gott geb, daß es ihm besser als meinem Weib bekomme!‹ Ich hätte den Leuten allen wohl aus dem Traum helfen können, wann ich ihnen nur hätte die Wahrheit sagen wollen, aber ich schwieg still und ließe dieselbige sich untereinander verwundern und disputiern, solang sie wollten; betrachtet darneben, wie grob der Unwissenden Wahn betrüge[7] und was wohl auf etliche wunderbarliche Historien zu halten, die weit anderst erzählt worden wären, wann die Skribenten[8] den Grund recht gewußt hätten.

Nachdem ich nun solchergestalt ohnversehens erfahren, wo mein Weib hinkommen, schaffte[9] ich mir wieder eine Geige und durchstelzte damit das Erzstift Salzburg, das ganze Bayern- und Schwabenland, Franken und die Wetterau, endlich kam ich durch die Unterpfalz hieher und suchte überall, wo mir mitleidige Leut etwas gaben. Ich bin auch so glückselig hierin, daß ich glaube, es spendiere mir mancher etwas, der selbst nit den zehenden Teil so viel Geld hat als ich; und weil ich sehe, daß von meinem Kapital nichts abgehet, ich aber gleichwohl einen als den andern Weg in aller Freiheit mein guts Maulfutter und auch zuzeiten, wann ich's bedörftig, ein glatte[10] Leierin (dann gleich und gleich gesellt sich gern) zur Nothelferin haben kann, so wißte ich nicht, was mich bewögen sollte, ein anders und seligers Leben zu verlangen, ja, ich wißte auch kein bessers für mich zu finden. Weißtu aber, mein Simplice, mir ein anders und bessers zu weisen, so möchte ich deinen Rat gern hören und nach Gestaltsam[11] der Sach demselben auch gern folgen.«

»Ich wollte dir wünschen«, antwortet' Simplicius, »du führtest hier zeitlich[12] dein Leben, daß du das ewige nicht verlierest!« »O Münchspossen!« sagte Springinsfeld; »es ist nicht müglich; du bist seither in einem Kloster gestocken[13] oder hast im Sinn, in Bälde in eins zu schliefen[14], daß du immer wider dein alte Gewohnheit so albere Fratzen hervürbringst.« »Wann du nicht in Himmel willst«, antwortet' Simplicius, »so wird dich niemand hineintragen; allein mir wäre lieber, du tätest auch wie ein Christenmensch und fiengest an zu gedenken an deine letzte Ding, welche zu erfahren du noch einen kurzen Sprung zu tun hast.«

Unter diesem Gespräche fieng es an, unvermerkt zu tagen, und solches verursachte bei uns allen wiederum ein Lust zu schlafen, wie dann zum öftern zu geschehen pflegt. Solcher Anmutung[15] folgten wir und täten die Augen zu, uns noch ein paar Stund innerlich zu beschauen, stunden auch nicht ehender auf, als bis uns der Appetit der Mägen zu etlichen Dutzed kleinen Pastetlin und einem Trunk Wermut nötigte. Als wir nun in derselben Arbeit begriffen waren, kriegten wir Zeitung, daß der Rhein die Brück hinweggenommen und noch stark mit Eis gehe, so daß niemand weder herüber- noch hinüberkommen könnte. Derowegen resolvierte sich[16] Simpl., demselben Tag mit seinen Leuten noch in der Stadt zu verbleiben, in welcher Zeit er den Springinsfeld noch mich von sich lassen wollte. Mit mir akkordierte er, daß ich dessen Lebensbeschreibung, wie es Springinsfeld selbst erzählet, schriftlich aufsetzen sollte, damit den Leuten zugleich kund würde, daß sein Sohn der leichtfertigen Courage Hurenkind nicht seie; und dessentwegen schenkte er mir 6 Reichstaler, die ich damals wohl bedörfte. Dem Springinsfeld selbsten aber lude er auf seinen Hof, bei ihm auszuwintern, beteuerte aber gegen mir gar hoch, daß er solches nicht seiner paar hundert Dukaten halber tu, sondern zu sehen, ob er ihm nicht auf den christlichen Weg eines gottseligen Lebens bringen möchte. Wie ich mir aber seithero sagen lassen, so hat ihn der verwichne März aufgerieben[17], nachdem er zuvor durch Simplicissimum in seinen alten Tagen ganz anders umbgegossen und ein christlichs und bessers Leben zu führen bewegt worden; nahm also dieser abenteurliche Springinsfeld auf des ebenso seltzamen Simplicissimi Bauerhof (als er ihn zuvor zu seinem Erben eingesetzt) sein letztes

ENDE.

Wort- und Sacherklärungen

Vorspruch (Subscriptio)

1. früher, vormals.
2. den Tod zu finden, zu sterben.
3. (lat.) Schicksal.
4. Glücksgöttin (Fortuna).
5. waren sich einig, taten dasselbe.
6. Kugel (Anspielung auf die der Fortuna als Sinnbild zuge-
   ordnete rollende Kugel).
7. mich drehen; abwechselnd steigen und fallen.
8. Hier: Holzbein, Prothese.
9. ein Teil, einige.

Inhalt

1. Kirmes (vgl. Überschrift Kap. XVIII); hier Metapher für:
   militärischer Sieg.
2. Lies: bayer(ische) (vgl. Überschrift Kap. XIX).

I. Kapitel

1. verdauliche.
2. gefördert, gebracht.
3. Weihnachtsfest (vgl. engl. christmas), auch: Weihnachtsmarkt.
4. (lat.) Ausdauer, Geduld.
5. Entschließung, Bescheid (lat. resolvere = [Gedanken] befreien).
6. Aufwartung machte; oder auch: Bescheid erwartete.
7. Bittschrift (lat. supplicere = demütig bitten).
8. Eigtl.: in voriger Zeit; hier etwa: während der ganzen Zeit
   des Wartens.
9. Küchen(ratzen), männliche Bedienstete in der Küche.
10. Stalljungen, -knechte.
11. Wert(schätzung) (lat. aestimare = [ab]schätzen, würdigen).
12. durchkamen, akzeptiert wurden.
13. Eigtl.: getrockneter Dorsch oder Kabeljau, gewöhnlich ungesal-
    zen und vor dem Genuß stark zu klopfen; von daher: dummer,
    steifer Mensch, mit dem nicht viel anzufangen ist, Narr.
14. Probieren, Kosten.

15. wunderliche, schrullige, verschrobene.
16. den Hut zu drehen; zu hänseln, zu verspotten (Hut als Statussymbol; vgl.: den Hut ziehen).
17. sich über jemanden lustig machen, ihn verächtlich behandeln (»Kunz« [Ableitung von Konrad] als herabsetzende Benennung vor allem auf Grund der früheren Häufigkeit des Namens).
18. Ende, Ergebnis.
19. Eigtl.: Hunden des Schinders; übertr.: Leuteschindern.
20. Bedeutung unklar; wohl: Verachtung (Druckfehler oder spielerische Angleichung an ›Achtung‹ im Sinn von ›Respekt‹?).
21. unsäglich (im Original: »und täglich«; Borcherdt konjiziert: unerträglich).
22. Vermutlich: Dreitage-, Hundsfieber (durch Stechmücken übertragene Viruskrankheit).
23. angesprochen.
24. nährte; tröstete.
25. Scherzname für: Kammerzofe, Zimmermädchen.
26. (lat.) geradewegs.
27. Vorzeichen ([lat.] Wahrzeichen).
28. (frz.) Diener (hier mit erotischem Nebensinn).
29. Einbildung, Illusion.
30. fahrender Schüler.
31. ebenso.
32. Eigtl.: grobe Zärtlichkeit erweisen; plump anbiedern.
33. also.
34. gerichtet, verhalten (lat. accomodare = anpassen).
35. anständigen, angemessenen.
36. Kopf, Gehirn (lat. Capitolium = Jupiter-Tempel auf einem Berg in Rom).
37. kräftige Ohrfeige.
38. gebührend, angemessen.
39. bebender.
40. (frz.) Herr.
41. (lat.) Empfehlung.
42. Eigtl.: Aas für die Raaben; grobes Schimpfwort.
43. gn(ädigen).
44. bürgen, Sicherheit stellen.
45. loses, ungesittetes, freches.
46. wie ich dreinsah, was ich für ein Gesicht machte (»Nase« metonymisch für: Gesicht).

47. Fluch (vgl. Kap. IV: »Schlag sie der Donner!«); Bedeutung unklar; etwa: Falls Venus als Gemahlin des mythischen Waffenschmieds Vulkan mit zuschlägt, kann dieser auf einen Helfer verzichten (»darf«: bedarf). Der Schreiber dürfte nach dem negativen Bescheid des »holdseligen Kammerkätzchens« an die Liebesgöttin denken, da auch seine erotischen Hoffnungen zunichte werden.
48. besagten, erwähnten.
49. grobe Behandlung, Abfuhr.
50. Ruf, Ansehen (lat. reputatio = Betrachtung).
51. Hier: Entlassung, Abschied.
52. da es um die Zeit des Mittagessens war.
53. indessen, gleichzeitig, dabei (»nach«: noch; »als«: fortwährend, stets).
54. kühn, getrost, unbedenklich.
55. Toilette (vgl. Kap. III, Anm. 48).
56. Eigtl.: machte mich kampfbereit, von daher: machte mich grimmig, zornig, wütend.
57. lat. salva honore = mit Verlaub (Grimmelshausen: »mit wohlgeneigter Gunst!«).
58. Bittschrift (vgl. Anm. 7).
59. unweise, unklug.
60. machte ich mich davon.
61. von Sinnen, meiner Sinne nicht mächtig.
62. unwillig.
63. in die Wissenschaft eingeführt, in der Wissenschaft angeleitet (lat. littera = Wissenschaft).
64. Lehrern (lat. praeceptor = Lehrer).
65. gelegentlich, bisweilen.
66. Schlag auf den Hintern (lat. producere = vorführen, hervorbringen).
67. Dreschen.
68. brauchtest (vgl. Anm. 47).
69. dem Brauch hielten, das Geschenk für wandernde Handwerksburschen zu geben.
70. Müßiggänger, Faulpelz (vgl.: auf der Bärenhaut liegen); auch: Feigling.
71. frz. passer = gehen.
72. mir zugekehrt stand, mir gegenüber lag.

II. Kapitel

1. (lat.) Verbindung von Saturn, Mars und Merkur; hier: astronomische Konstellation oder Aspekt von Himmelskörpern mit astrologischer Bedeutung, Zusammenkunft der Planeten (-götter) Saturn, Mars und Merkur (vgl. Nachwort).
2. Baderei, öffentliches Bad.
3. auszubächeln, wiederzuerwärmen.
4. à la carte aß (»Pfenningwert« eigtl.: was einen Pfennig wert ist, allg.: was Geld wert ist, Ware).
5. nach Art eines Dreschers.
6. zuschlug, zubiß.
7. für zwei Personen, d. h. zwei Portionen.
8. ›vertilgt‹, aufgegessen.
9. was das Essen angeht.
10. Chile; das Land war vielleicht durch die Größe seiner Bewohner bekannt.
11. Unklar (Chilca, Peru [?]; Chicol, Mexiko [?]).
12. Nebukadnezar, babyl. König (vgl. Buch Daniel 4, 30).
13. Ausschluß aus der menschlichen Gesellschaft.
14. altertümliche (lat. antiquitas = Altertum, gute, alte Sitte).
15. ausgeschlagen, ausgeziert.
16. Astknorren.
17. Ironisch: jemanden töten.
18. verkehrt, umgekehrt.
19. entgegen, umgekehrt wie.
20. sahen aus.
21. fahl, blond.
22. (von der Bartfarbe) wetterfarbig, durch Witterungseinflüsse fahlgelb geworden.
23. machte er sich ans Trinken, ging er zum Trinken über.
24. jemandem zutrinken, mit jemandem anstoßen.
25. Hier etwa: überhaupt, denn.
26. außer mir.
27. ein-, zugefroren.
28. begann.
29. worin, in dessen Verlauf.
30. (Ost-)Indien.
31. neugierigen, wißbegierigen.
32. Kenntnis.
33. (lat.) Urteil(skraft), Einsicht.
34. wirklich, genau.

35. zuzutrinken, mitzutrinken.
36. mischte (lat. miscere = mischen).
37. (lat.) Latwerge; abführendes Arzneimittel aus Sirup, Pulvern und Pflanzenmus.
38. Dreiaker; Arznei in Breiform, Latwerge.
39. Stoff, Substanz (lat. materia = Stoff); auch: Erzählgegenstand.
40. Zweibatzenwein, (billiger) Wein, der zwei Batzen kostete (Batzen: geringwertige, ursprünglich in Bern geprägte, d. h. den Berner Bären zeigende, Münze; allg.: Geld).
41. Purgativ, Abführmittel (lat. purgatio = Reinigung).
42. (Baum-)Harz, Öl.
43. Unvergorene Hefe(n) (lat. faex = [Wein-]Hefe).
44. lange gelagerter.
45. Wein (aus einer bei Malvaria, Griechenland, gezüchteten Rebsorte).
46. bewies mit der Tat, in der Praxis.
47. Auszug, Heiltrank; Verjüngungsmittel.
48. als Ursache gab er an, das begründete er damit.
49. eifrig erörterten, uns unterhielten (lat. discurrere – geschäftig hin und her laufen).
50. Grunzer, Bettler.
51. erlittene, empfundene.
52. Diskantfidel (Diskant, [lat.] Gegenstimme: in der Musik höchste Stimme, Sopran; bei Instrumentennamen weist ›Diskant‹ auf die hohe Tonlage hin).
53. summte (vgl. engl. to hum).
54. quiekte.
55. Hunger gelitten (»Schmalhans«: Personifikation des Hungers; »betragen«: behelfen, auskommen, vertragen).
56. Insel Kreta. 1669 den Venezianern von den Türken abgenommen. Eine vom Bischof von Straßburg angeworbene Hilfskompanie nahm unter hohen Verlusten an den Endkämpfen teil und wurde nach ihrer Rückkehr zum Tagesgespräch in der Gegend am Oberrhein, wo Grimmelshausen wohnte.
57. friert.
58. Vgl. Grimmelshausen, *Courasche*, Kap. XVI. Die wörtliche Bedeutung des Namens bedingt die wortspielerische Antwort »Stelzvorshaus« (vgl. auch Kap. VI).
59. allgemeinen.
60. artigen; hier: sonderbaren, kuriosen.

61. unaufgefordert; unverschämt, frech.
62. Hier Wortverdrehung aus: Gott(e)s.
63. Wortverdrehung aus: Sakramenten.
64. Kanne.
65. lat. disputare = wissenschaftlich untersuchen; hier: (in der Öffentlichkeit) streiten.
66. schüttete.
67. Goldmünze von hohem Feingehalt.
68. Prahlens, Aufhebens.

III. Kapitel

1. Possen, Streich, Schwank.
2. Grimmelshausens Hauptwerk, der *Abentheurliche Simplicissimus Teutsch* (1668), die »Beschreibung deß Lebens eines seltzamen Vaganten«. Ende von Buch II und Anfang von Buch III des Romans werden die gemeinsamen Abenteuer des Simplicissimus und des Springinsfeld erzählt.
3. auf Veranlassung, auf Betreiben.
4. ausgetrunken, geleert.
5. vom anderen Ufer des Rheins. (Die Zusammenkunft findet in Straßburg statt, vgl. Kap. IV, Anm. 12.) Es könnte sich hier um eine Selbstpersiflage des Schaffners Grimmelshausen handeln.
6. Weinbauer, Winzer.
7. rückte die Kappe, zog den Hut, grüßte.
8. Aufseher, Verwalter (der Gemeindefinanzen, der wirtschaftlichen Angelegenheiten).
9. Karste; zweizinkige Erdhacken.
10. Schmiede.
11. Doppelsinn: zurichten, fertigmachen; entkernen.
12. durch Rollen entspelzen, bearbeiten, reinigen.
13. sich schüttelte vor Lachen.
14. Mundartlich: verkehrt, falsch.
15. Prügel bezogen (habe).
16. eitlen, nichtigen, unnützen.
17. wofür.
18. (lat.) Ereignis, Geschichte.
19. schaltete mich in das Gespräch ein.
20. *Simplicissimus Teutsch.*
21. nackt, rein.

22. befürchte, besorgt annehme.
23. frei, leichtfertig gewesen, zuviel Freiheit genommen.
24. erwiderte, entgegnete (lat. replicare = erwidern).
25. Dat. Sg. mask.: dem.
26. Demokrit, Demokritos von Abdera (um 460 bis 370 v. Chr.), der sog. lachende Philosph der Antike.
27. Heraklit, Herakleitos von Ephesos (um 544 bis 483 v. Chr.), als »weinender« Philosoph Gegenpol zu Demokrit.
28. Stoischer Philosoph und Dichter (um 4 v. Chr. bis 65 n. Chr.).
29. (lat). im Buch von der Ruhe des Lebens; eigtl.: *De tranquillitate animi* (Von der Gemütsruhe), Kap. 15.
30. einzige.
31. Zarathustra, Begründer der pers. Religion.
32. Nero, röm. Kaiser (54–68).
33. Vgl. Lukas 19, 41 und Johannes 11, 35.
34. Ich könnte schwören, du seist ein Pfaffe geworden.
35. Im Original Wortspiel, das typographisch zum Ausdruck kommt: gEsell.
36. etwas zu beschwören.
37. Gegenteil.
38. bedrohlich.
39. unbeschwert, unbekümmert.
40. höherem Rang, höherem sozialen Status.
41. Vgl. *Simplicissimus Teutsch*, Buch I, Kap. 23, bis Buch II, Kap. 3.
42. Truppen des Herzogs Bernhard von Weimar.
43. (ital.) Schlacht.
44. teilzunehmen.
45. gesellschaftliche Konvention, Sitte.
46. Tiberius, röm. Kaiser (14–37); soll diese Marter erfunden haben.
47. fest unterbinden, zuschnüren (von: Nußbicker = Nußknacker?).
48. Toilette (lat. secretum = Abgeschiedenheit, Geheimnis).
49. Symbolfigur des die Sprachverderbnis kritisierenden Deutschen. Titel einer Schrift Grimmelshausens mit dieser Thematik (1673).
50. Kellerverwalterin; etwa: Haushälterin.
51. das junge (adlige) Fräulein; hier wohl: die Tochter des Gouverneurs.
52. bereit (in Not).
53. Eigtl.: schnell fließenden, reißenden; gewaltigen, starken.

IV. Kapitel

1. Der Badenser Johannes Stumpf (1500–78) schrieb eine 1500 Seiten umfassende Chronik der Schweiz.
2. Volksbuch vom Till Eulenspiegel.
3. verschwenden.
4. ärger gemacht, sittlich verschlechtert.
5. Ansinnen, Forderung.
6. richten, fügen.
7. »Potz [vgl. Kap. II, Anm. 62] Kreuz, du Gelbschnabel! Hätt' ich dich draußen, ich wollte dir den Grind [Kopf] schlagen!«
8. erlebten.
9. nach anderen Regeln verhalten.
10. Metapher: Gefängnis.
11. Folterwerkzeug; schwerer Zuber mit Loch im Boden, durch das der Sträfling beim Tragen des Zubers den Kopf steckte.
12. Die Erzählung spielt nach allen Indizien in Straßburg.
13. das rechte Maß, die Befugnis überschreitet (gespannte Schnur als Mittel zur Bestimmung der geraden Richtung).
14. erwarte, vermute.
15. lästigen, unverschämten (lat. importunus = beschwerlich, rücksichtslos.
16. Nach alter Auffassung Körpersaft. Die vier ›humores‹ sollten die Temperamente bestimmen.
17. leichtfertiger, leichtsinniger.
18. Etwa: durch das Diktat (der Courasche) bekannt geworden ist (vgl. Kap. V).
19. Ausdruck, Anzeichen.
20. (meine Laster) aufgedeckt (vgl.: an Geheimnissen rütteln); oder: (meine Laster) durchgeschüttelt (um sie zu reinigen; vgl.: Getreide rütteln).
21. übersehe, ertrage.
22. durch die Hechel gezogen (Hechel: in der Spinnerei kammartiges Werkzeug zum Reinigen und Trennen der Fasern), durchgekämmt.
23. verdrießt.
24. (frz.) Gebieterin, Geliebte.
25. (lat.) Bestie.
26. fange.
27. ausgesuchten, musterhaften.
28. in der Weise eines Präzeptors, als Präzeptor (vgl. Kap. I, Anm. 64).

29. Ort an der Schiltach, einem Nebenfluß der Schwarzwälder Kinzig.
30. entgegen-, herankommen (frz. avancer = vorwärtskommen, vorrücken).
31. (niedriges) Gebüsch, auch: Gehölz, kleiner Wald.
32. Kleiner Jagdhund zum Aufspüren (Aufstöbern) kleineren Wildes.
33. Windhund, großer, kräftiger Jagdhund.
34. Büchsen, Gewehre.
35. Feuerrohre, wie sie Schnapphähne trugen (Schnapphahn: Strauchdieb, Straßenräuber).
36. Jagd.
37. (bestätigten), gestellten, aufgespürten.
38. aufgespürten, aufgejagten.
39. Jagdmesser, Waffe und Werkzeug des Jägers.
40. sowohl ... als auch (vgl. engl. both ... and).
41. geschäftig; sonderbar, seltsam.
42. ertappen.
43. noch immer.
44. wunderte mich.
45. Jagdrechte zustehen, gehören.
46. be-, verschrieen.
47. höchstens sechs Jahre, d. h. jede Anzahl zwischen eins und sechs.
48. pechschwarzes.
49. wenn es hochkommt, höchstens, im besten Falle.
50. Dünnes Seidengewebe (lat. flos, Gen. Sg. floris = Blume).
51. Weidenzweig.
52. geschmolzener Arbeit; Schmelz, Emaille.
53. Große Perlen, die nicht nach Gewicht, sondern nach Zahl verkauft werden.
54. Sersche (Gewebe); hier: Umschlagtuch.
55. Scharlachtuch, roter (Woll-)Stoff; hohes Statussymbol.
56. Plüschsamt.
57. Besatzmittel wie Borten, Schnüre, Quasten.
58. verbrämt, am Rand verziert.
59. Brusttuch; oder: kurzes, feines Oberhemd.
60. Joppe, Jacke.
61. hübscher, angenehm ins Auge fallender.
62. Uracher; Urach: Stadt in Württemberg, mit Textilindustrie.
63. Leinwand, Leinen.
64. Kleidung, Aufzug (lat. habitus = Aussehen, Tracht).

V. Kapitel

1. babylonischen Hure (vgl. Offenbarung Johannis, 17).
2. (lat.) verdächtig, Verdacht erregend.
3. (lat.) Versammlung, Schar.
4. nein.
5. Gesindel, Diebespack.
6. Libussa, böhm. weiblicher Vorname (vgl. z. B. Musäus' Märchen *Libussa* und Grillparzers gleichnamiges Drama).
7. Barchent; Baumwollflanell.
8. Streich; hier: Verrat, Betrug.
9. ungerächt.
10. aufzugeben, fortzuschicken.
11. uneheliches Kind.
12. heimlich aufgerafft.
13. (sexuell) verkehrte.
14. uneheliches Kind.
15. Vgl. Kap. III, Anm. 30.
16. getäuscht, betrogen.
17. Kitzeln; Übermut, Einbildung.
18. betrügt, täuscht.
19. liebkoste (frz. caresser = liebkosen, streicheln).
20. nachkommt, gleicht.
21. statt.
22. um mich danach richten zu können.
23. mitzuteilen (lat. communicare = jemanden teilnehmen lassen).
24. zum Trotz, zum Tort (vgl. »Trutz Simplex«, Anm. 31).
25. erledigen, sich widmen.
26. Hier: durchlas (lat. expedere = erledigen, durchführen).
27. Gedenkmünzen, Münzen mit Abbild.
28. Patengeschenk (Göttel: Patin, [Täufling]).
29. Verbalsubstantiv zu ›welschen‹: ein unbekannte, fremde Sprache sprechen.
30. (frz.) Mut, Eifer (vgl. *Courasche*, Kap. III; dort bezeichnet die Romanheldin ihre Scham verhüllend als »Courage«).
31. Siebtes Buch des simplicianischen Zehn-Bücher-Zyklus zwischen *Simplicissimus Teutsch* und dem zweiteiligen *Wunderbarlichen Vogel-Nest*; geläufig unter dem Titel *Courasche*.
32. (frz.) (Marsch-)Ordnung.
33. (frz.) Truppe, Gesellschaft.
34. Hier: für die Fahrt am geschicktesten, am besten gerüstet (auf dem Sprung).

5. ständig, immer.
6. Tal der Schutter bei Lahr; Kinzertal: Tal der Kinzig; Nebental des Renchtals; Oppenauerstal: unteres Renchtal bei Oppenau; südlich der Hornisgrinde; Saßbacher Tal: nordwestlich der Hornisgrinde; Tal der Bühl nördlich der Hornisgrinde.
7. Kleiner Fluß, der am Kniebis entspringt und unterhalb Rastatts in den Rhein mündet.
8. Vgl. Kap. II, Anm. 59.
9. »(Wer selten reitet,) dem tut der Hintern bald weh.«
40. (frz.) Gefolge.
41. lauter, ausnahmslos; auch: tüchtige.
42. Rück, Höhenwege.
43. beschaffen, geordnet.
44. Württ. Ort am Neckar.
45. Stadt in Baden, im Murgtal.
46. Gefäße, Fäßchen; auch: Hohlmaß für Wein.
47. In Analogie zu »Simplicissime« gebildete lat. Anredeform von »Simplex«.
48. betitelt, benennt (frz. intituler = betiteln).
49. Anacharsis, weiser Skythe. Rachsucht ist für ihn nicht überliefert.
50. Traktätchen; hier: kleines Werk (lat. tractare = behandeln, untersuchen).
51. schenken (hier ironisch gemeint).
52. in ihrem eigenen Namen.

VI. Kapitel

1. in die Sache hineingeraten, hineingezogen (mit dem Hintersinn des ›Zechezahlens‹).
2. Vettel: unordentliches, altes Weib.
3. Schimpfwort für: Schreiber (placken: hier wohl: heften, kleben).
4. das Blut folgt, hinterdreinfließt.
5. Hinweis, Androhung.
6. Turmhüter, Gefängniswärter.
7. Schergen, die mit dem Fausthammer, einer kurzstieligen Schlagwaffe, schlagen.
8. Verursacher, Urheber.

9. Streitigkeiten, Auseinandersetzungen (vgl.: Raufhändel).
10. Mäuschen.
11. auf mir sitzen lassen.
12. Amtmeister, Bürgermeister.
13. lat. iniuria = Unrecht, Beleidigung.
14. Eigtl.: mit den Zähnen knirschte; sich griesgrämig verhiel;
knurrte, murrte.
15. Herumrammeln; hier in abgeschwächter Bedeutung: in
Scherze raufen, schäkern, spielen.
16. Rauchen.
17. Feueranmachen und daran Kochen.
18. außer daß.
19. ein Teil (vgl. Vorspruch, Anm. 9).
20. Etwa: in der Wirkung gedämpft, in der Explosionskraft ge
mindert.
21. kläffte, knallte.
22. zahme Tiere, Fleisch zahmer Tiere.
23. Gruppe, Trupp.
24. nahmen auf Vorschuß (lat. anticipare = voraus-, vorwegneh
men).
25. außer einer.
26. Schnabelweide, gutes, reichliches Essen; hier: feineres
Schlachtvieh.
27. wie ein Fuchs gestohlen (mit List).
28. Mit örtlichem Einschlag: da und dort.
29. wie ein Wolf gestohlen (mit Gewalt).
30. lat. observare = beobachten.
31. Bekanntschaft, Umgang.
32. in den Tag hineinleben. Das Sprichwort geht auf das Inter
regnum zurück, als man sich nach Kaiser Friedrich II. zu
rücksehnte.
33. mir zutraue, hoffen könne.
34. vorlängst, vor sehr langer Zeit.
35. Hier etwa: noch ganz abgesehen davon, daß.
36. schlichtes, geringes.
37. (lat.) (vom Vater) ererbtes Vermögen.
38. erkennen.
39. Vgl. Kap. IV.
40. mimische Andeutungen machte, das Ansehen gab.
41. abzudrehen, davonzumachen.
42. Etwa: Flirten, Liebelei (von ›Löffel‹ als Weiterbildung von

›Laffe‹ [mhd. laffen, ›lecken‹: Schlürfen des naschenden Kindes]).

3. angebissen, darauf eingegangen.

4. freundlicher.

5. auf die Probe gestellt.

6. Scherzhaft für: Laus (auf Grund ihrer dem Mehl ähnelnden Farbe).

7. Apuleius; im spätröm. Roman *Der goldene Esel* von Apuleius wird ein Jüngling in einen Esel verwandelt.

8. (lat.) Bedingung.

9. abgesondertes und besonderes, privates.

0. neckte, verspottete (lat. vexare = beunruhigen, plagen, schelten).

1. mit diesen Worten.

2. geschneidet es; kümmert es (Euphemismus für das obszöne »geheiet es«; vgl. Kap. VII, Anm. 7).

3. Etwa: in der Weise, daß; nur, wenn.

4. hinhalten, festhalten.

5. etwas sauer, verdrossen, mürrisch dazu dreinblicken.

6. ordinierte, setzte ein.

7. Secretarius, Sekretär, eigtl.: Geheimschreiber (lat. secretus = geheim).

8. Hier: in.

9. Versprechungen (lat. promittere = versprechen, zusagen).

0. Fräulein Kusine; hier: allgemeine Verwandtschaftsbezeichnung der Zigeuner untereinander.

1. fester.

2. verlaufen, vorüber, zu Ende gegangen.

3. gemächlich.

4. insgesamt dreißig, der Erzähler und neunundzwanzig andere.

5. Furieren; für Verpflegung und Quartier Verantwortliche (frz. fourrier = Quartiermacher [beim Militär]).

6. Metapher: schmutziger, unbedeutender Mensch.

7. Hier örtlich: ganz in der Nähe.

8. Busch, Gebüsch.

9. Gedächtnis, Erinnerung.

VII. Kapitel

1. Zaubertasche; hier: Zauberbuch.

2. Erlös.

3. durchsucht (frz. visiter = besuchen, besichtigen).
4. den Koller haben, knurren.
5. Bitte!
6. D. h.: ihr steht auf gleicher Stufe, es besteht kein Unterschied zwischen euch.
7. Geheien: kümmern; was kümmert's mich, was geht's mich an (›geheien‹ eigtl.: beischlafen; vgl. Kap. VI, Anm. 52).
8. gegessen, gespeist.
9. sorgte dafür, veranlaßte.
10. in Wirklichkeit, tatsächlich.
11. Auf dem Titelkupfer des *Ewig-währenden Calenders* ist die gesamte simplicianische Familie (Knan, Meuder, alter und junger Simplicissimus und Ursele) abgebildet (vgl. Anm. 12).
12. Grimmelshausens *Ewig-währender Calender,* Nürnberg 1671.
13. gingen langsam, nachlässig.
14. Aussehen, sah aus, als ob.
15. Umstand, die Umstehenden, die Zuschauer.
16. drängte, zwang.
17. Lat. Flexionsform von »Simplicius«.
18. Hier etwa: Darbietungen bringen (lat. agere = handeln, vortragen, darstellen).
19. geigte.
20. nicht mehr taugen.
21. eingeschlossen, einschließlich (lat. includere = ein-, verschließen).
22. Landstreicher, Quacksalber, Marktschreier.
23. Hier: Beweise, Zeugnisse.
24. zerfließen, d. h. vor Scham vergehen.
25. da.
26. Gecken, Laffen (von ›stutzen‹: einherstolzieren, prunken).
27. Hier: Personen, die wie ein Pfand anvertraut sind und unterhalten, genährt werden müssen.
28. zinnerne.
29. mittleren.
30. Spaßvogel, Spötter.
31. Zeugnisse (lat. testimonium = Zeugnis, Beweis).
32. (mehr als) neun Häuser weit.
33. Scherzhaft-satirisch: der ein rotes Gesicht, eine rote Nase vom Trinken hatte.
34. Seht.
35. Hier: währenddessen.

36. Gaukelspiel, Vorstellung eines wandernden Künstlers oder Schaustellers.
37. einer der Umstehenden.
38. noch immer, noch einmal.
39. zäh, verdorben.
40. aufhaspeln.
41. Etwa: daß der Geist des Weins sprühte (mit alchimistischem Hintersinn; vgl. lat. spiritus = Weingeist).
42. dünn.
43. Nach Muskatnuß schmeckender Rot- oder Weißwein aus der Muskatellertraube.
44. Aussehen des noch nicht geklärten jungen Weins, besonders aber des beim Abfüllen zurückbleibenden hefigen Rests, des Nachweins.
45. völlig sättigen.
46. eine Probe geben, beweisen.
47. Dementsprechend.
48. eine Menge so groß wie eine Erbse.
49. Hohlmaß, besonders für Wein; auch (Wasser-)Eimer.
50. Ursprünglich Gold-, später auch Silbermünze.
51. Die Sibylle von Cuma bot dem röm. König Tarquinius Superbus neun Bücher Weissagungen an. Wegen der Höhe des Preises abgewiesen, verbrannte sie immer mehr Bücher, bis der König den Rest zum selben Preis kaufte.
52. verbesserte (lat. temperare = richtig mischen, bereiten).
53. Kumme, tiefes, rundes Gefäß.
54. seinen Preis bezahlt hatte.
55. (hebr.) mein Herr; Meister (Ehrentitel jüd. Gesetzeslehrer).
56. für ein geringes Ding zu achten (»Lederlein«: kleines Stück Leder; »spitzig« hier wohl: knapp an Maß).

VIII. Kapitel

1. Blendwerk.
2. albern, töricht.
3. Hier: hingegen.
4. ohne Schweißvergießen, Anstrengung (»Schnauben«: Schnaufen).
5. lat. laborare = sich anstrengen, sich abmühen.
6. Ist nicht etwas Hexerei im Spiel? (»Hexenwerk«: Hexenhandwerk, Zauberkunst.)

7. Dorfkirmes.
8. Hier: kurzweiligen, lustigen.
9. Ursprünglich: Häller oder Haller, nach dem ältesten Prägeort Schwäbisch Hall; Silberpfennig.
10. geben, einbringen (von Geschenken).
11. unterließest, abließest von (»underwegen«: unterwegs).
12. bald sterben muß, vom Tode gezeichnet ist.
13. durchbringen, das Leben fristen.
14. Hier: Altersheim (lat. hospitalis = Hospiz, Kranken-, Armenhaus).
15. Stelle in einem Stift, Verpflegungs- oder Armenhaus, die vertragsgemäß den Lebensunterhalt gewährt.
16. Pförtner.
17. angehangen, mitgemacht.
18. Verdammnis.
19. beharre auf, behaupte.
20. mehr als.
21. baldigst, sehr bald.
22. leer, nutzlos.
23. (frz.) verwendet, gebraucht.
24. (lat.) angebotenen
25. schändlichen, abstoßenden.
26. verunehret, geschändet, gelästert.
27. (lat.) Verpflichtung, Auflage.
28. ängstliche.
29. (frz.) meiner Treu!, meine Güte!
30. Etwa: Kniffe und Tricks; Kunstgriffe.
31. Anspielung auf Grimmelshausens kleinere Schrift ähnlichen Titels (1670).

IX. Kapitel

1. Erörterung, Verhandlung (lat. discurrere = geschäftig hin und her laufen; vgl. Kap. II, Anm. 49).
2. neu eingestellter, neu eingetretener.
3. entschädige.
4. ganz und gar, in jeder Beziehung.
5. Hier: obwohl.
6. Imbiß.
7. ereignete sich.
8. (lat.) handeln, vortragen, darstellen (vgl. Kap. VII, Anm. 18).

9. Besitz (lat. possidere = besitzen).
10. unnütz, sinnlos.
11. durchzubringen.
12. beim Schlagen (Fechten u. ä.) zu verschwenden.
13. (lat.) behandelten.
14. verhalten; sich fügen, sich seiner Umgebung anpassen.
15. Lehrer (vgl. Kap. I, Anm. 64).
16. gute Sitten (lat. mos, Akk. Pl. mores = [gute] Sitte, Brauch).
17. achtbaren, ansehnlichen (lat. reputare = für etwas halten);
    vgl. Kap. I, Anm. 50.
18. auf eine solide Grundlage stellen, in einen ehrenwerten Stand
    versetzen.
19. grübelte.
20. Dorfbürgermeister, Gemeindevorsteher.
21. auszusehen.
22. untergebracht, beherbergt (frz. loger = einquartieren).
23. Studenten (lat. studiosus = Student).
24. behandelte mich so hart, rücksichtslos.
25. zeitig.
26. so daß (auch Relativpronomen möglich: das).
27. krächzte, stöhnte.
28. babbelte, schwatzte.
29. herumgezogen (vgl.: Landstörzer).
30. (Ruhe-)Stätte.
31. anraten, zu verstehen geben.
32. Etwa: der von Ort zu Ort eilende, unstete Merkur (Merkur
    galt in Mythologie und Astrologie als Götterbote.) Als Pla-
    netengott war ihm das Prinzip der Unbeständigkeit zugeord-
    net (vgl. Grimmelshausens *Ewig-währenden Calender*, IV. Ma-
    terie, S. 83).
33. sehr entfernten Verwandten (Grimmelshausen zeigt in seinem
    Gesamtwerk eine Vorliebe für die Zahl Siebzehn).
34. Verwandtschaft.
35. sintemal, zumal.
36. Hier: schlicht und schlecht.
37. Stand.
38. recht, richtig, passend; also etwa: Dieses Argument trifft auf
    mich nicht zu.
39. Sexuelles Wortspiel.
40. mittleren Alters.
41. zanksüchtig.

42. Beschäftigung oder Stellung eines Herren.
43. über die Stränge schlug, gegen die eheliche Treue verstieß.
44. kümmerte (vgl. Kap. VI, Anm. 52).
45. stellen in Aussicht, verursachen.
46. Kosten, Ausgaben.
47. Küchengeschirr, -gerät.
48. backen.
49. Leinenzeug, weißleinene Wäsche.
50. Stelzfuß und kränkelnder, gebrechlicher Alter.
51. Birnen.
52. reifen; also etwa: Du weißt es aus eigener Erfahrung am besten.

X. Kapitel

1. (lat.) überreden, überzeugen.
2. indem wir beide ihre Geliebten waren.
3. Abkunft.
4. Peloponnesos, südgriech. Halbinsel.
5. Dromedar.
6. herumzog.
7. (Schlankheit), Kunstfertigkeit, Gewandtheit.
8. wegzufischen, zu stehlen.
9. ungeachtet, daß; obwohl.
10. rechtmäßig, ehrlich.
11. Komödiantin, Artistin.
12. abgesehen davon, daß.
13. Dalmatien, Küstenlandschaft an der Ostseite der Adria.
14. (lat.-ital.) Truppe, Gruppe, Gesellschaft.
15. Slawonier: nordjugosl. Landschaft.
16. Gewandteste, Geschickteste.
17. (lat.) Beruf, Tätigkeit.
18. Grundkenntnisse (lat. principium = Auffassung, Grundstoff).
19. die Taschenspielerei.
20. Affen-Posituren; lustige Kunstfiguren.
21. (plötzlich) von außen herangetragen.
22. Belehrung, Unterweisung (lat. instruere = unterrichten).
23. Steiermark.
24. alles in allem (lat. summa = Summe, Gesamtzahl).
25. Formelhaft, etwa: selbst wenn die Umstände ideal gewesen wären, wenn ein Wunder geschehen wäre (der Jahrmarkt fand nur zu bestimmten Tagen im Jahr statt).

26. zogen herum (lat. vagare = umherschweifen, -streifen).
27. Mazedonien, Makedonien, Gebirgslandschaft auf der Balkanhalbinsel.
28. Serbien, Landschaft auf der Balkanhalbinsel.
29. Bosnien, jugosl. Landschaft.
30. Walachei, rumän. Landschaft zwischen Südkarpaten und Donau.
31. Rußland.
32. Litauen, ehemaliger baltischer Staat, heute Sowjetrepublik.
33. eingenommen.
34. Istrien, Halbinsel der nördlichen dalmatinischen Küste.
35. nach Kroatien; jugosl. Landschaft.
36. fürder, weiter, ferner.
37. (lat.) durch.
38. (lat.) Griechenland.
39. Alter Name für den nordwestlichen Peloponnes, später für den ganzen Peloponnes (vgl. Anm. 4), nach dem dort angebauten Maulbeerbaum (griech. moreas).
40. Ital. Bezeichnung von Dubrovnik; süddalmatinische Hafenstadt.
41. eine Abgabe auferlegen, erleichtern (vgl.: brandschatzen).
42. Blüte (lat. flos, Gen. Sg. floris = Blume, Blüte).
43. Zweck.
44. nur.
45. Erlaubnis (lat. consensus = Übereinstimmung).
46. Etwa: erhalten worden, erteilt war.
47. (lat.) Gewandtheit, Geschicklichkeit.
48. außerhalb des.
49. Reede, Ankerplatz vor dem Hafen.
50. Kriegsvölker, Truppen.
51. Speer-, Lanzenreiter.
52. (lat.) Spanien.
53. Auf-, Vorführungen (lat. exercitium = Übung, Treiben).
54. Meer um Sizilien, wohl: Ionisches und Tyrrhenisches Meer.
55. vertrauten an; hielten den Wind für ausreichend zum Segelsetzen.
56. Eigtl.: angehoben; hier: gelichtet.
57. gebärdete sich, verhielt sich.
58. Gebärdenspiel, Beweglichkeit, Gewandtheit (lat. gestus = Geste, Gebärde [der Schauspieler]).
59. (freiweilig) ausgeliefert, zurückgegeben.

60. anfangen.
61. Savoyen, Landschaft in den Westalpen.
62. Lothringen, ostfrz. Landschaft.
63. Luxemburg.
64. Ambrosio Spinola (1569–1630), Oberbefehlshaber der span. Truppen in den Niederlanden.
65. Hier: kämpften.
66. (lat.) zufrieden.
67. Dreißigjährigen Krieg.

XI. Kapitel

1. (lat.) Geschichten.
2. größten Teil.
3. Gefecht, Schlacht (lat. occasio = Gelegenheit).
4. (lat.) bersten; umkommen.
5. eingehender, weiter ausholend.
6. Johann Tserclaes Reichsgraf von Tilly (1559–1632), Oberbefehlshaber des Heeres der katholischen Liga.
7. Erste Einnahme Magdeburgs 1631.
8. erstmals eroberte. Das Bild steht im Zusammenhang mit der Etymologie des Namens Magdeburg.
9. Untergebene, Soldaten.
10. Johann Christian Königsmarck (1600–63), schwed. General.
11. Kleinseite, der am linken Moldau-Ufer gelegene Stadtteil Prags. Die Eroberung der Kleinseite durch die Schweden (1648) war eine der letzten Kampfhandlungen des Dreißigjährigen Krieges.
12. gleichermaßen, gleichzeitig.
13. Speziesdukaten (in specie: in hartem Geld, in wirklich ausgeprägten Münzen; im Gegensatz zum Geldwert in anderen Münzsorten oder Papiergeld [lat. species = Art]).
14. in einer ›Sitzung‹, auf einmal.
15. gleichermaßen, auf dieselbe Weise.
16. obenerwähnten.
17. Hier: Entschlossenheit.
18. (lat.) Wahrzeichen, gutes Vorzeichen (vgl. Kap. I, Anm. 27).
19. (lat.) Heer.
20. Heer (span. armada = Kriegsflotte).
21. Georg Friedrich von Holtz (gest. 1666), stieg vom gemeinen Soldaten zum Feldmarschalleutnant im Dienste des Kurfürsten

von Bayern auf. Grimmelshausen kannte das Regiment von Holtz.

22. Pike, Langspieß.
23. Dorf bei Mergentheim an der Tauber; Niederlage der Franzosen unter ihrem Befehlshaber Henri de Latour d'Auvergne Turenne (1611–75) am 5. Mai 1645 (vgl. *Courasche*, Kap. XXVI).
24. Dublonen; span. Goldmünzen.
25. forttragen, aufheben.
26. (was an-, zufällt), hier etwa: Gunst.
27. Ingolstadt, das der Schwedenkönig Gustav Adolf 1632 erfolglos belagerte (vgl. Anm. 28).
28. Gustav II. Adolf (1611–32), schwed. König. Kämpfte im Dreißigjährigen Krieg gegen die Habsburger.
29. Livree; uniformartige Dienerkleidung.
30. München.
31. besonderes, reserviertes.
32. Etwa: angenehmes.
33. (frz.) Wohnung, Quartier.
34. innehabe, bewohne.
35. taktvoll.
36. Atlas, im griech. Mythos Träger des Himmelsgewölbes, nach ihm Bezeichnung der Sammlung von Land- und Seekarten.
37. Nichtadliger Offizier, Tapferkeitsoffizier (lat. fortuna = Glück, Umstände).
38. sich zu unterhalten (lat. conversari = mit jemandem verkehren).
39. frz. humeur = ›Humor‹, Körpersaft (vgl. Kap. IV, Anm. 16).
40. vereinbarte, verabredete.
41. (lat.) Übereinstimmung, hier: Zustimmung.
42. Pistolen; früher in Spanien, dann auch in anderen europäischen Ländern geprägte Goldmünzen.
43. Behandlung, Bewirtung (lat. tractare = behandeln).
44. Geschenk (lat. praesentare = überreichen).
45. noch viel.
46. durchaus, nun einmal.
47. (frz.) höflichen, artigen.
48. wieder verdienen, sich zu revanchieren (lat. meritare = verdienen).
49. ins Gewehr trat, das Gewehr präsentierte (als militärische Ehrenbezeugung).

50. vorenthalten, geprellt, betrogen um (vgl.: Abbruch tun).
51. Weißzeug; weiße Wäsche, Tisch-, Leibwäsche.
52. wegziehen, (weg-)gehen (frz. passer = gehen) (vgl. Kap. I, Anm. 71).
53. gut verdient.
54. übervorteilt, bereichert.
55. (frz.) verlassen.
56. Heilbronn am Neckar.
57. entledigt, befreit von.

XII. Kapitel

1. Musketier, Infanterist.
2. (lat.) ebenso, desgleichen.
3. töricht.
4. besitzt (vgl.: Vermögen).
5. im Kampf eingesetzt.
6. (frz.) aufs Spiel gesetzt.
7. zuletzt, am Schluß.
8. Einfall in die Pfalz 1620.
9. Als Nachfolger Spinolas (vgl. Kap. X, Anm. 64) seit 1621 Führer der span. Truppen.
10. (frz.) zurückgezogen.
11. Frankental; Festung in der Pfalz, 1621 von der span. Belagerung entsetzt.
12. Peter Ernst II., Graf von Mansfeld, protestantischer Heerführer.
13. Tücke, Bosheit.
14. entgegen, zu.
15. (abgelegene) Umwege, Nebenwege.
16. Wiesloch, Ort südlich von Heidelberg; Niederlage der Bayern gegen den Mansfelder am 27. April 1622.
17. Demnach ist Springinsfeld 1605 geboren. Damit ist er etwa siebzehn Jahre älter als Simplicissimus. (Zu beachten ist jedoch Grimmelshausens Vorliebe für die Zahl Siebzehn.)
18. (frz.) fähig, imstande.
19. (lat.) Rekruten, Soldaten.
20. (frz.) Trommler.
21. Musterbeispiel, Inbegriff.
22. Wimpfen am Neckar; Sieg Tillys (vgl. Kap. XI, Anm. 6) über den Markgrafen von Baden-Durlach am 6. Mai 1622.

23. (lat.) Wert, Geltung.
24. Schulterriemen, Wehrgehänge.
25. Schlacht bei Höchst am 10. Juni 1622 (das Datum schwankt in der Überlieferung); Niederlage des Herzogs Christian von Braunschweig gegen Tilly.
26. Stadtlohn an der Berkel in Westfalen; Schlacht am 9. August 1623.
27. Dänischen Krieg; 1625 bis 1629 Teilnahme Dänemarks am Krieg gegen Kaiser und Liga.
28. Lutter am Barenberg im Braunschweigischen; Sieg Tillys über den König von Dänemark am 27. August 1626.
29. Ort nördlich von Hildesheim.
30. Ort an der Aller.
31. Ort in der Nähe Verdens.
32. Ort an der Wümme, nördlich von Verden.
33. Ort zwischen Bremen und Rotenburg.
34. Schutzwache (frz. sauvegarde).
35. Bei-, Spitz-, Spottnamen.
36. Erz-, Oberfurzer (vgl. u. a. *Courasche*, Kap. XVII).
37. hörnerne Siegfried. (Der Nibelungenheld Siegfried badete in Drachenblut und galt daher als unverwundbar.)
38. Breiter, am Gürtelband getragener Degen.
39. Begleitschutz gewährte (frz. convoyer = begleiten, eskortieren).
40. geschlachtet.
41. frisch hergestellter.
42. gespeist, verpflegt.
43. für einen Dieb ansehen.
44. Tropf, armer Schelm, Dummkopf.
45. Schläge.
46. be-, nachweisen.
47. Schalk, loser Vogel, Schlauberger (vgl. *Courasche*, Kap. I).
48. Art und Weise, Taktik.
49. Druckfehler für »künnten«, d. h. könntet; möglicherweise auch grammatisch schwache Ableitung von mhd. kiesen, ›prüfen, versuchen, herausfinden‹ (vgl. mhd. kust, ›Prüfung, Beschaffenheit‹).
50. Niederdt.: »Mein Herr, ich traue Euch nichts Böses zu, aber ich habe mir sagen lassen, daß gewisse Soldaten bestimmte Künste anwenden könnten, dergleichen Sachen wiederzubeschaffen; wenn Ihr das auch könnt, werde ich Euch zwei Reichstaler geben.« (Vgl. Anm. 49.)

51. wie es anzustellen sei.
52. Unteroffizier.
53. Kurzweil zu treiben, uns zu vergnügen.
54. Cimbrer, antiker Volksstamm in Schleswig-Holstein und Jütland.
55. (griech.) Halbinsel; hier: Schleswig-Holstein und Jütland.
56. Ostsee.
57. Potthast; sauer eingemachtes Schweinefleisch.
58. trockenen.
59. schlemmen.
60. Niederdt.: in der Mitte der Diele mitten auf der Diele, dem Boden.
61. Pentagramm, auch: Drudenfuß; fünfeckiger Zauberstern.
62. Kribbeskrabbes (Klangwort); sinnlos-geheimnisvolles Geschreibsel.
63. eingeschlossen.
64. behinderte.
65. Beschwörung.
66. durch Schläge belehren (»Kolben«: Kopf).
67. drollige, lustige.
68. dumpfen, leisen, schwachen.
69. (lat.) Erscheinungen.

XIII. Kapitel

1. Pikenträger (vgl. Kap. XI, Anm. 22).
2. Freireiter; eigtl.: ehrenhalber unter die Reiterei Aufgenommener; hier wohl: vorübergehend, nicht fest zu dem betreffenden militärischen Verband gehörender Kavallerist.
3. Hühnerdieb, Bauernschinder.
4. Wohl: Puppenspiel, Kinderspiel (Bubenspiel?).
5. Hier: schwachen, kraftlosen.
6. anzueignen.
7. Der Hof lag fiktiv in Geißbach an der Rench (vgl. *Simplicissimus Teutsch*, Buch V, Kap. 8).
8. Die Schweizer Meile umfaßte 5000 Schritt.
9. dich enthalten.
10. Scholle, Stück; hier: lauthals lachen.
11. quälen, mißhandeln (vgl.: Bauerntrillen).
12. Kriegstrubeln (im Original: »Kriegs Troublen« [frz. trouble(s) = Verwirrung, Unruhe, Aufruhr]).

13. sie in ihre Gewalt brachten, ihrer habhaft wurden.
14. einer wie der andere (»Gurr[e]« [Gorre] abschätzig für: Pferd, Stute; vgl. *Courasche*, Kap. I).
15. Eigtl.: aufgebürdet, aufgelegt; etwa: den habe ich der Courasche zu verdanken.
16. verlaufen, begeben, zugetragen.
17. Vgl. *Courasche*, Kap. 14–22.
18. Hahnreischaft, Gehörntsein (Guckgauch: Kuckuck).
19. verdient (vgl. Kap. XI, Anm. 48).
20. böse, durchtrieben, schlau.
21. (lat.) unersättlich.
22. Wohl: für den Galgen oder den Scheiterhaufen.
23. Unholdin, Hexe.
24. Satirische Latinisierung: Schmiergelder, Bestechung.
25. auf die sie sich verließ.
26. verlassen (vgl. Kap. XI, Anm. 55).
27. Spiritus familiaris, Zaubergeist, der seinen letzten Besitzer in die Hölle bringt (vgl. *Courasche*, Kap. XXII).
28. Johann Altringer (gest. 1634); stieg vom Kammerdiener zum Obersten auf.
29. (lat.) verbunden, vereinigt (am 3. Oktober 1631).
30. Bacharach am Rhein.
31. Erobert am 13. Oktober 1631.
32. Stadt an der Mündung der Tauber in den Main.
33. Gottfried Heinrich Graf zu Pappenheim (1594–1632), kaiserlicher Feldherr, gefallen in der Schlacht von Lützen (1632).
34. Anspielung auf Arnold Winkelried oder eine entsprechende Gestalt aus Schwaben? Winkelried soll in der Schlacht bei Sempach 1386 eine Bresche in die feindlichen Reihen geschlagen haben, indem er mehrere Lanzen der Feinde auf einmal an sich riß. Sein Opfertod brachte den Sieg der Schweizer über Herzog Leopold III. von Österreich.
35. Längenmaß, d. h., mir war schon *eine* Pike (zum Tragen) zu viel.
36. Ochsen, die mit der Stirn zogen; Spottname für die Pikeniere des Dreißigjährigen Kriegs.
37. (lat.) geschaffen, bestimmt zu.
38. Größere Truppeneinheit.
39. Etwa: jeder sich einen bestimmten Mann als Ziel genommen.
40. Fässern.
41. gab, trug ein, brachte ein.

42. Eigtl.: Tuchmaß, Seidenmaß; Musterkarte mit Tuchproben.
43. Johann Banér (1593–1641), schwed. General, einer der bedeutendsten Feldherren des Dreißigjährigen Krieges.
44. Anfang Januar 1632.
45. Garnison, Besatzung der Stadt.
46. gefangen, auch: unterstellt, den eigenen Truppen eingegliedert.
47. Magdeburg hatte durch die Belagerung und Erstürmung von 1631 stark gelitten.
48. leidlichen; nicht zu teueren, mäßigen.

XIV. Kapitel

1. Korps, Heeresteil (lat. corpus = Körper[schaft]; die lat. Flexionsform ist falsch).
2. starker, brausender Wind.
3. Lemgo, Stadt in Lippe.
4. Paderborn, Stadt in Ostwestfalen.
5. Im Februar 1632.
6. Herzog von Braunschweig und Lüneburg (1582–1641), stand in schwed. Diensten.
7. putzten; schlugen (im März 1632).
8. Stadt an der Unterelbe, von den Schweden belagert und von Pappenheim (vgl. Kap. XIII, Anm. 33) im März 1632 entsetzt.
9. Tott war der Führer der schwed. Belagerungsarmee (vgl. Anm. 8).
10. Die niederl. Stadt wurde von Friedrich Heinrich von Nassau-Oranien belagert. Pappenheims Versuch, sie zu entsetzen, scheiterte im August 1632.
11. Wolf Heinrich von Baudis, General und später Feldmarschall in schwed. Diensten.
12. Von Pappenheim am 24. September 1632 entsetzt.
13. Am 28. September 1632 erobert.
14. 16. November 1632.
15. Sinnbilder des Todes und der Armut.
16. im selben Augenblick (vielleicht allegorisch: Flügel der Zeit, des Windes o. ä.; vgl.: flugs).
17. (lat.) kriegerischen.
18. an Vermögen hatte (vgl. Kap. XII, Anm. 4).
19. (lat.) Vorspiel, Auftakt.

20. (lat.) fortfahren, anhalten.
21. (tschech.) (fern), dahin.
22. Beide bayer. Städte wurden Mitte Januar 1633 eingenommen.
23. Sir William Forbes, gebürtiger Schotte, war schwed. Oberst und Generalmajor.
24. Eigtl.: mit dem Striegel bearbeiten (Striegel: Instrument zum Reinigen von Pferden), von daher: hart behandeln; prügeln, schlagen.
25. ein Ende nehme.
26. aufgeben, sich zurückziehen von (lat. resignare = verzichten auf).
27. (lat.) Ansteckung, Krankheit; hier: Pest.
28. Barbier, Friseur.
29. Glied.
30. (lat.) Ausscheidung, Kot.
31. förderlich (das Leben erhaltend).
32. tschech. Němec = Deutscher.
33. Wohl Wortspiel mit tschech. němy = stumm; deutsch.
34. (frz.) Parlieren, Sprechen.
35. geziert.
36. Steuer, Abgabe, Unterstützung (vgl. Kap. XXV, Anm. 28).

XV. Kapitel

1. (lat.) heldenhaft.
2. Wallenstein wurde am 25. Februar 1634 in Eger ermordet.
3. Konspiration, Verschwörung.
4. Dienst.
5. sich ausbreiteten, Fortschritte erzielten.
6. König Ferdinand III., Sohn Kaiser Ferdinands II., später röm.-dt. Kaiser. Seit 1625 ung., seit 1627 böhm. König.
7. (ital.) Artillerie, mit Geschützen versehene Truppe.
8. Regensburg (Mai 1634).
9. Jan de Werth, bayer., später kaiserlicher General.
10. Graf Gustav von Horn, schwed. General.
11. Erstürmung durch die Schweden am 22. Juli 1634.
12. Donauwörth.
13. Regensburg ergab sich am 17. Juli, Donauwörth Mitte August 1634.
14. Span. Prinzentitel (vgl. Courasche, Kap. 23).
15. Württ.-bayer. Landschaft um Nördlingen.

16. sehr.
17. Am 7. September 1634.
18. ehrenhafte.
19. Bei Volksfesten war Barchent ein üblicher Preis beim Wettlaufen (»Barchent«: dichtes Baumwollgewebe, auch mit Leinen); hier: nach Beute jagen.
20. (lat.) Sieg.
21. durchsuchen.
22. zurückließen.
23. Steigbügel.
24. (Gewehr), Waffen.
25. der Feuerwaffen.
26. (ohne Berechtigung), zufällig.
27. verwundet.
28. Wehrgehänge, Schulterriemen.
29. Handschutz am Griff des Degens.
30. geritten.
31. bei ihm zu verweilen.
32. Held der griech. Sage, galt als Vorbild an Kraft und Tugend.
33. brave, tapfere.
34. gesellte mich zu.

XVI. Kapitel

1. sich herumtreibt (vgl. Kap. X, Anm. 26).
2. Gewinn, siegreichen Beendigung.
3. gesondert, für sich.
4. Trübsal.
5. Speyer (2. Februar 1635), Worms (24. Juni 1635).
6. Metapher: mit französischer (Finanz-)Unterstützung.
7. Hier: Taktieren, Manöver.
8. Zwickmühle; Stellung der Steine im Mühlespiel, die bei jedem Zug zwischen zwei gleichbleibenden Feldern zu einem Gewinn führt.
9. angrenzenden, benachbarten.
10. zuteil wurde.
11. Span. Goldmünze (span. real = königlich).
12. Engl. Goldmünze (wohl nach den Stuart-Königen namens Jakob [James]).
13. Ursprünglich ital. Silbermünzen, die erstmals den Kopf des Souveräns zeigten.

14. Hier: statt.
15. Bedeutung unklar; vielleicht ›Kickerling‹: schlechte, minder-
    wertige Silbermünze.
16. September oder Oktober 1636.
17. Graf Hans von Götz, bayer. Feldmarschall.
18. Unna.
19. *Simplicissimus Teutsch*, Buch II und III.
20. Daniel von St. André.
21. Vgl. *Simplicissimus Teutsch*, Buch III, Kap. 15.
22. Im Januar 1638.
23. Stadt an der Berkel in Westfalen.
24. (lat.) sich gedulden.
25. November 1641.
26. Wilhelm Graf von Lampoy, seit etwa 1619 Oberst im kaiser-
    lichen Heer.
27. Rüstung, Bewaffnung (lat. armatura = Bewaffnung).
28. Schanze.
29. Am 17. Januar 1642.
30. Stadt bei Düsseldorf; ergab sich am 27. Januar 1642.
31. Stadt bei Krefeld; ergab sich am 7. Februar 1642.
32. Stadt an der Rur.
33. verfahren (lat. procedere = vorwärtsgehen).
34. brachte ich zustande.
35. Lechenich, südwestlich von Köln; belagert seit 18. April 1642.
36. Ort am Rhein, südlich von Düsseldorf.
37. Juni und Juli 1642.
38. Jean Baptiste de Budes, Graf von Guébriant, Unterführer
    unter Herzog Bernhard von Weimar; eroberte die erwähnten
    Städte.
39. Am 22. Dezember 1642.
40. Württ. Stadt im Remstal, östlich von Stuttgart.
41. Im Januar 1643.
42. Johann Balthasar von Khirnreuth, bayer. Oberst.
43. Kirmesreiter; wohl sexuelle Anspielung.
44. Stadt südwestlich von Tübingen.
45. Stadt an der Eyach in Württemberg; Bayern und Lothringer
    lagen im Juni 1643 zwischen Balingen und Haigerloch.
46. Wichtigkeit, Bedeutung (lat. importare = verursachen).
47. Reinhold von Rosen, erst schwed. Offizier, dann weimar.
    General.
48. auszuheben; zu überfallen.

49. dorthin.
50. (lat.) melden, überbringen.
51. (militärisch) unterstützt (lat. succurrere = zu Hilfe eilen).
52. gut und gern, getrost, mit Zuversicht.
53. so.
54. Stadt am Rande des Schwarzwalds, östlich von Freiburg.
55. Kavalkade; hier: Reitertruppe.
56. gemächlich.
57. (lat.) Zuflucht.
58. Stufen, Treppen.
59. kleines Fenster; Fensteröffnung, durch die Licht einfällt.
60. Lücken.
61. aus-, ersinnen; mit Geheul anstimmen.
62. (frz.) griff (ungestüm) an.
63. gezielte, sichere.
64. kräftige, wirksame.
65. kurzum, mit einem Wort.

XVII. Kapitel

1. Unterstützung, Verstärkung (vgl. Kap. XVI, Anm. 51).
2. Kopie; etwa: eine Spur von.
3. militärischen Erkundung (lat. recognoscere = untersuchen).
4. Militärischer Dienstgrad, Feldwebel.
5. Johann Reichsgraf von Sporck (um 1601 bis 1679), später kaiserlicher Generalleutnant.
6. Karabinern; Gewehre mit verkürztem Lauf.
7. sowohl.
8. anhand, mittels.
9. Messers in einem Futteral oder einer Scheide.
10. Eisens zum Wetzen von Messern.
11. Paßzettels, Passierscheins.
12. Schind(er)grube; Grube, in der das tote Vieh geschunden, d. h. ihm die Haut abgezogen wurde.
13. Württ. Stadt am oberen Neckar.
14. (lat.) (Aufmerksamkeit), Absicht.
15. freigebig.
16. Reservepferd, das gegebenenfalls sofort zur Hand sein soll.
17. Stadt bei Balingen in Württemberg.
18. unsanft.
19. draußen, außerhalb.

162

20. zerstreut, auseinandergesprengt (vgl. Kap. IV, Anm. 32).
21. außer.
22. Niederbüchsen; (mit Büchsen) Niederschießen, Niedergemacht-werden.
23. Einfalls in den Ort, Überfalls.
24. Ansehen (lat. aestimare = schätzen, würdigen).
25. Vgl. Kap. XVI, Anm. 38.
26. Tuttlingen: württ. Stadt an der Donau; Sieg der Bayern und Kaiserlichen über Franzosen und Schweden am 3. Dezember 1643.
27. Franz Freiherr von Mercy, bayer. Feldmarschall.
28. nach Vereinbarung, d. h. ohne Waffengewalt (frz. accord = Ab-, Übereinkommen).
29. Mercy brach am 6. Dezember nach Rottweil auf und eroberte es am 13. Dezember.
30. widerrechtlich angeeignet.
31. arkebusiert, erschossen (Arkebuse: Hakenbüchse, schweres Infanteriegewehr).
32. Beim Militär für die Disziplin Verantwortlicher, Disziplinaroffizier.
33. Untergebener des Profoses (vgl. Anm. 32), der Züchtigungen mit Ruten (Stecken) vorzunehmen hatte.
34. Heuboden, Scheune; hier: Kopf.
35. bekam, erlangte.
36. Selbstpersiflage Grimmelshausens? Er war seit 1667 bischöf-lich-straßburgischer Schultheiß in Renchen.

XVIII. Kapitel

1. 1644.
2. altdeutsche, unverdorbene.
3. Die niederl. Hilfstruppen waren für ihre gute Disziplin bekannt.
4. Vornehmste, Bedeutendste, Wichtigste.
5. Überlingen, Stadt am Bodensee; nach zweimonatiger Belagerung im Mai genommen.
6. Am 28. Juli 1644.
7. Kriegsabgaben an Besatzungssoldaten (lat. contribuere = zuteilen, beitragen).
8. Ludwig II. von Bourbon, Herzog von Enghien, Prinz von

Condé; lieferte am 3. und am 5. August 1644 Mercy (vgl. Kap. XVII, Anm. 27) bei Freiburg eine Schlacht.

9. Vgl. Kap. XI, Anm. 23.
10. Am 1. August 1644.
11. Ungestüm, Grimm (lat. furia = Raserei).
12. Herunterpurzeln, -fallen.
13. Kürassiere, mit einem Brustharnisch ausgerüstete Reiter.
14. vorzuwerfen, -halten.
15. vorzurücken, vorzuwerfen.
16. erholt (vgl.: verschnaufen).
17. Am 4. Oktober 1644.
18. Am 8. November 1644.
19. Hess. Stadt an der Bergstraße (21. November 1644).
20. Der Dragoneroberst Wolff.
21. strenger, unerbittlicher, härter (lat. rigor = Härte, Rauheit).
22. Stadt an der Bergstraße, nahe Heidelberg.
23. Atlas (vgl. Kap. XI, Anm. 36).
24. Schlagen, Zuschlagen.
25. Machthaber, Fürst (lat. potestas = Macht, Oberherrschaft).
26. Soldaten (vgl. Kap. XII, Anm. 19).
27. kurz gesagt.
28. Ort in Böhmen; Schlacht am 23. Februar 1644.
29. Versehen, Irrtum.
30. Oberst Nußbaum.
31. Württ. Stadt im Schwarzwald.
32. Ausdruck des Mißlingens (von frz. chance; Chance als ›Aussicht auf Erfolg‹ beim Fall der Würfel).
33. fahrlässig, leichtsinnig.
34. Furier; hier: Unteroffizier, der für Verpflegung und Quartier sorgt (vgl. Kap. VI, Anm. 65).
35. Gau, Gebiet.
36. Am 5. Mai 1645.
37. untüchtig, unfähig, ungeeignet.
38. erraffen, erbeuten.

XIX. Kapitel

1. (lat.) Waffenstillstand.
2. Hess. Stadt an der Ohm (25. Mai 1645).
3. Kirchhain, hess. Stadt am Zusammenfluß von Ohm und Wohre.

4. Gegend um Bad Mergentheim, im württ.-bayer. Grenzgebiet.
5. Gottfried Freiherr von Geleen (gest. 1657), erst bayer., dann kaiserlicher Feldmarschall. – Die Verstärkung erreichte Mercys Armee am 4. Juli 1645.
6. Caspar Schock, lothr. Oberst eines Kavallerieregiments.
7. Im Juli 1645.
8. einzuholen, zu erreichen.
9. Am 8. Juli 1645.
10. 600 Mann.
11. Stadt an der Tauber (18. Juli 1645).
12. Allersheim, Dorf bei Nördlingen (am 3. August 1645).
13. Am 5. August 1645.
14. Dinkelsbühl an der Wörnitz in Mittelfranken (am 24. August 1645).
15. Schwäbisch Hall, württ. Stadt am Kocher.
16. Erzherzog von Österreich, seit 1639 Oberbefehlshaber der kaiserlichen Heere.
17. gewonnen.
18. Stadt südwestlich von Heidelberg.
19. Schwere Geschütze; eine normale Kartaune verschoß 25-Pfund-Kugeln.
20. Feldgeschütz.
21. (Feuer-)Mörser, Steilfeuergeschütz.
22. nicht während der für den Feldzug geeigneten Jahreszeit.
23. 1646.
24. Gegner.
25. größeren Gefecht, Schlacht.
26. Fluß in Hessen.
27. Am 15. August 1646.
28. Lebensmittel für die Truppe; Futter für die Militärpferde.
29. Fluß in Oberhessen.
30. Hier: Schlachtordnung.
31. Hier wohl: beschossen sich mit Kanonen.
32. Tal des Emsbaches, eines Nebenflusses der Lahn.
33. Bayer. Arkebusierregiment unter Hans Jakob Kolb von Reindorff, genannt Jung-Kolb.
34. Eigtl.: Schrobenhausen, zwischen Ingolstadt und Augsburg (am 23. September 1646).
35. Am 18. Oktober 1646.
36. Am 5. November 1646.
37. Franz Royer (oder Roujier), bayer. Oberst.

38. 350 (vgl.: anderthalb, ›das Halbe des anderen, zweiten‹).
39. Annäherung an feindliche Stellungen mittels Laufgräben (frz. approcher = herankommen, nahen).
40. Geschütze.
41. überfallen, erobert (vgl. Kap. XVII, Anm. 35).
42. abschreckten.
43. Am 14. März 1647 wurde zwischen dem Kurfürsten von Bayern sowie den Franzosen und Schweden ein Waffenstillstand geschlossen, den aber ersterer am 14. September wieder kündigte.
44. Deggendorf, niederbayer. Stadt an der Donau.
45. Der bayer. General Jan de Werth, der Generalwachtmeister Sporck, der Oberst Creutz u. a. mußten vor ihren eigenen Truppen fliehen, als das Unternehmen scheiterte.
46. Kurfürst Maximilian von Bayern.
47. Georg Creutz (vgl. Anm. 45).
48. entworfen, erfunden (lat. concipere = abfassen, formulieren).
49. Galgen.
50. St. Nicolaus, Klosterkirche in einem Passauer Vorort.
51. De Werth und Creutz wurden begnadigt.
52. verdienten (vgl. Kap. XI, Anm. 48).

XX. Kapitel

1. Astrologisches Bild: Das frühere Glück hielt nicht an.
2. Erst hess. Führer, später kaiserlicher General, fiel am 17. Mai 1648 in der Schlacht bei Zusmannshausen in der Nähe Augsburgs.
3. sonst genannt, alias.
4. schädlich, schadenbringend (von der schlagenden Hand).
5. Am 20. Mai 1648.
6. Isar; am 4. Juni 1648.
7. Jodocus Maximilian Graf von Gronsfeld, seit 1646 kurbayer. Feldmarschall. Wurde auf Grund seines Rückzuges über Lech und Isar gefangengesetzt.
8. mit Fug und Recht; angemessen, wunschgemäß.
9. wehrhaften, befestigten.
10. reißenden (vgl. Kap. IV, Anm. 52).
11. gebrochen, zum Stillstand gekommen.
12. Oberbayer. Stadt am Inn. Die im folgenden erwähnten Aktionen hat Grimmelshausen selbst erlebt.

13. nicht ausgeplünderte, wohlhabende.
14. Vom 16. bis 18. Juni 1648.
15. Stadt am Inn, unterhalb von Wasserburg.
16. Hans Wilhelm Vogt, Freiherr von Hunoldstein, kaiserlicher und kurbayer. Kriegsrat und Generalfeldzeugmeister.
17. Niederbayer. Stadt an der Rott.
18. tirolischen Gebirge, Alpen.
19. Inn, Nebenfluß der Donau.
20. Isar, Nebenfluß der Donau.
21. Hilpoltstein in Mittelfranken.
22. Ort in Mittelfranken.
23. Militärschreiber, der die Musterrolle, das Namenregister der Soldaten, führte.
24. (lat.) Amt.
25. wendeten sich hin zu ihm, schlossen sich ihm an, sympathisierten mit ihm.
26. billigen, zustehenden, rechtmäßigen.
27. Eigtl.: an der Seite, d. h. hier: als Unterstützung.
28. besaß.
29. Jean Louis de la Pierre (gewöhnlich »Lapier« geschrieben), bayer. Generalwachtmeister und Oberst eines Kürassierregiments.
30. Johann Burkard, Freiherr von Elter, Kommandeur des Regiments, als dessen Sekretär Grimmelshausen in Wasserburg diente.
31. Hauptanhängern (lat. principalis = vornehmster, Haupt-).
32. Für die Versorgung der Truppe verantwortlicher Offizier.

XXI. Kapitel

1. heimlich, ohne Abschied.
2. Diskrepanz zu der Angabe in Kap. XII.
3. verwitwete.
4. Bekanntschaft.
5. Hier wohl: nachzählen, überprüfen.
6. Pfalz.
7. duldet.
8. für mich, kam mir zustatten.
9. Am 14. Oktober 1621.
10. Heiratsabrede, -vertrag.
11. Trauung, eheliche Verbindung (lat. copulatio = Verknüpfung).

12. des in die Ehe eingebrachten Besitzes.
13. schriftlich abgemacht.
14. mit einer Aussteuer versehen.
15. die Angelegenheit derart geregelt.
16. Etwa: nichtsdestoweniger, trotzdem; vielleicht auch zu lesen: darin.
17. braven, tüchtigen, anständigen.
18. wuchern. Da Juden keine Waffen tragen durften, wurde der Wucher als ›Waffe‹ des Juden seit dem 15. Jahrhundert mit einer Metapher aus dem Turnierwesen »Judenspieß« genannt (vgl. *Courasche*, Kap. XV).
19. Das Reich mußte fünf Millionen Taler ›Friedenssatisfaktionsgelder‹, vor allem zur Abdankung der schwedischen Truppen, zahlen.
20. Vertriebene (lat. ex[s]ulare = vertrieben, verbannt sein). (Vgl. *Courasche*, Kap. XXVI.)
21. nachahmte.
22. anderwärtiger, anderer Weise.
23. die.
24. vorankommen, gut gehen (lat. prosperare = fördern).
25. grünten, blühten, wuchsen.
26. sich erkühnten.
27. Erzschelm.
28. sehr lieblicher.
29. abgelistet.
30. Wannen: Getreide sieben, aufwannen: damit fertig werden; von daher: seinen Besitz durchbringen.
31. Plusquamperfekt: hatten können.
32. Zolleinnehmer (Umgeld: Steuer).
33. angebrochen, gekostet.
34. in flagranti ertappt, auf frischer Tat des Betrugs überführt.
35. (lat.) Mischung, Fälschung.
36. hurtig, fleißig.
37. Abkürzung von frz. florin = Gulden. Der Name der Goldmünze leitet sich von der eingeprägten Lilie (lat. flos, Gen. Sg. floris = Blume) aus dem Wappen von Florenz ab.
38. untersagt, geschlossen.
39. Nikolaus III., Graf von Serini (1620–64), General in Kroatien und Slawonien. Zeichnete sich im Türkenkrieg (1660–64) aus.

XXII. Kapitel

1. Anfang 1664 zogen frz. Hilfstruppen gegen die Türken.
2. Hier: schriftliche Anweisungen; von daher redensartlich: Geheimnisse.
3. Verstand, Verständigkeit.
4. Vermutlich die Eroberung der Brücke bei Osseck am 1. Februar 1664.
5. (ob-)siegten.
6. Wohl: das Feld zerteilt, d. h. sich quer über das Feld bewegt hatte; oder: das Feld verteilt, d. h. das Schlachtfeld verloren, geräumt hatte.
7. gerädert, auf dem Rad gefoltert.
8. Hier: Train, Troß (frz. bagage = Gepäck).
9. Wundarzt (beim Militär).
10. Oleum populeum; Pappelöl.
11. transportieren.
12. Frieden zu Vasvar (Eisenberg) am 10. August 1664.
13. beste (Wortspiel?).
14. bekam mir besser, kam mir besser zustatten.
15. ungarische.
16. Vormauer; zeitgenössische Bezeichnung Ungarns.
17. gebrechliche, kranke.
18. gerade gewachsene, gesunde.
19. heimatlosen.
20. übernahm, erwarb (vgl. Kap. XVII, Anm. 35).
21. zu ihrer.
22. Vorteil, Übervorteilung.
23. sofort, auf der Stelle.
24. Bedingung.
25. (lat.) Familie.
26. an Bekannten allerhand Landstörzer einfanden.
27. Puppenspieler.
28. Sänger von Neuigkeiten, Bänkelsänger.
29. Haftel-, Heftelmacher (Haftel: Spange, Häkchen, Stecknadel).
30. Klempner.
31. für ehrlich geachteten.
32. Morgengabe, Brautgeschenk (Geschenk, das der Mann der Frau am Morgen nach der Hochzeit gab).

XXIII. Kapitel

1. Schwiegervaters.
2. Rotwelsch: große, gewaltige.
3. beanspruchte mich übermäßig.
4. übermütiger, mutwilliger.
5. vorwagte, verhielt.
6. Etwa: was mir nur bekannt war.
7. Metapher: ihr erotisches Vergnügen, Liebesabenteuer suchen.
8. vermochte; konnte.
9. Vagabundenleben nach Art der umherziehenden Spengler (Klempner).
10. Rechter Nebenfluß der Donau in Österreich.
11. bekam (vgl. Kap. XXII, Anm. 14).
12. Pläne, Projekte.
13. Puppenspielerkram, wohl: Jahrmarktsbude.
14. Losurne.
15. Drehscheibe, Roulette.
16. Beim Riemenspiel mußte man durch einen aufgerollten Riemen stechen. Dieser war so aufgerollt, daß man meist vorbeitraf.
17. Eigtl.: Absatz fand; keinen Zuspruch fand.
18. Astgabel.
19. als etwas Verwunderliches, Wunderbares.
20. Hundsfott, Schurke.
21. Geheien: beischlafen; von daher derbes Scheltwort mit dem Sinn: laß mich ungeschoren.
22. plage, ärgere; mit ähnlich obszöner Bedeutung wie ›geheien‹, vgl. Anm. 21.

XXIV. Kapitel

1. München (Mönchen).
2. sehr (vgl. Kap. XV, Anm. 16).
3. klingt.
4. Vogelherd; Vorrichtung zum Vogelfang mit Lockvögeln und Schlaggarnen.
5. den Unterhalt durch Verpflichtung als Soldat verdienen.
6. annimmt, anwirbt.
7. Alter Name für Kreta.
8. bekam uns schlecht. Hunde fressen Gras, um sich übergeben

zu können. (Vgl. *Simplicissimus Teutsch*, Buch III, Kap. 18, und *Courasche*, Kap. 6.)

9. Mariensäule auf dem Marienplatz.
10. Geklapper; Klang.
11. löse ein, tausche um.
12. (lat.) Regeln.
13. Nachricht.
14. Art, Prägung.
15. Hier: zum.
16. Salve Regina, Schlußgesang der Abendmesse.
17. im Gefängnis saß.
18. lat. sol = Sonne; lat. luna = Mond. Nach dem geozentrischen Weltbild galt die Sonne als Planet. Ihr als dem größeren und schwereren Himmelskörper wurde eine längere Umlaufzeit um die Erde (ein Jahr) als dem Mond (etwa 28 Tage) zugeschrieben. Außerdem zeigt sie anders als der Mond keine Phasen. So gesehen, ist sie »nicht so beweglich oder leichtveränderlich« wie der Mond. In Astrologie und Alchimie konnten nun die Planeten mit ihren Eigenschaften für die ihnen zugeordneten Metalle Gold und Silber mit den entsprechenden Kennzeichen stehen (spezifisches Gewicht, chemische Veränderbarkeit). Grimmelshausen will mit dem Vergleich also sagen, daß das seltenere und kostbarere Gold(-geld) weniger schnell umläuft, d. h. von seinen Besitzern mehr zurückgehalten wird als das Silber(-geld). Demgemäß ›erscheinen‹ die Silbertaler in der Episode des Kapitels XXIV eher wieder als die Golddukaten.
19. Klingen, Schwirren der Leiersaiten.
20. jähes.
21. in.
22. Doppelte Verneinung mit der Funktion der einfachen Negation: »mangelte«.
23. voll gestellt, überladen.
24. lockeren, losen, leichtfertigen.
25. Münze, nach einem anfänglich eingeprägten Doppelkreuz benannt.
26. aufzumuntern, anzuhalten.
27. Eigtl.: ein Kapitel lesen; von daher: eine Strafpredigt halten.
28. Daus-As; Teufelskerl, nichtswürdiger, verschlagener Mensch (vgl. *Courasche*, Kap. V).
29. Herrgott.

30. ungeschoren (stiegelf[r]itzen: spotten, sticheln).
31. eilte (zornig, unwillig) hinweg.
32. Bäckerei (lat. pistor = Müller, Bäcker).
33. erwischte, an sich brachte.
34. am Anfang, zu Beginn.
35. mit ihr scherzte, sie neckte, sich einen Spaß mit ihr erlaubte
36. (lat.) Lamm Gottes; Wachsbilder oder Medaillons mit der Abbildung des Lammes.
37. Vgl. Anm. 22.
38. Eigtl. wohl: in; evtl. auch spielerische Verquickung des bekannten Sprichwortes mit der zeitgenössischen Redewendung ›auf der Grube gehen‹: bald sterben.

XXV. Kapitel

1. kriegte, Krieg führte.
2. Zirlberg mit der Martinswand im Oberinntal in Tirol. Paß-straße von Mittenwald nach Innsbruck.
3. Innsbruck.
4. Trento, oberital. Stadt an der Etsch.
5. Oberital. Stadt in Venezien.
6. (lat.) bewaffnet (vgl. Kap. XI, Anm. 20).
7. Bezieht sich auf den später erwähnten »armseligen Steinhaufen«.
8. feiern; untätig sein, ausruhen.
9. machten wir einen Ausfall.
10. (frz.) zurückziehen.
11. Orientalischer Titel, Statthalter eines kleinen Regierungsbe-zirks.
12. Orientalischer Titel, Statthalter einer Provinz.
13. Pascha, Titel hoher orientalischer Offiziere oder Beamter.
14. wagen.
15. Stoff; hier: Art, hohem Rang.
16. erkenntliche; Verdienste würdigende.
17. nichtadlige.
18. unkriegerische.
19. Lies: Doch ließe ich mich einen Weg [...]; auf jeden Fall; weiterhin, fortgesetzt.
20. Beim Ausheben von Befestigungen und Laufgräben.
21. Anerkennung, Geschenk.
22. (frz.) Unteroffizier.

23. Hier: Phantasien.
24. Exkrementen.
25. Besen.
26. machte mir zunutze, erfreute mich der Hilfe.
27. Abzug.
28. Unterstützung, Beitrag (vgl. Kap. XIV, Anm. 36).
29. (ital.) Herr.
30. (lat.) ältere Frau.

XXVI. Kapitel

1. Storger, Störzer, Landstreicher.
2. gar nichts.
3. seltsam, drollig.
4. hier.
5. unschwer; hier etwa: unbekümmert, ohne Zögern.
6. (lat.) Müller, Bäcker (vgl. Kap. XXIV, Anm. 32).
7. ein Teil (vgl. Vorspruch, Anm. 9).
8. aufgetragen, befohlen.
9. Mädchen, Jungfrau.
10. Vorwitz, Neugier.
11. anzog.
12. Bauernjoppe, -jacke.
13. Kleid aus Silberstoff.
14. kämmte.
15. Perlen, evtl.: Perllein.
16. einziger.
17. Die Sage von der Meerfee Melusine war als Volksbuch weit verbreitet. Sie stand ursprünglich nicht im Zusammenhang mit dem Stauffenberger (vgl. Anm. 18).
18. Die Sage vom Stauffenberger, die in Grimmelshausens Wahlheimat am Oberrhein entstanden und bekannt war, verknüpfte sich mit der Melusinensage. Sie hat Grundzüge mit der von Grimmelshausen überlieferten Version gemeinsam.
19. enthalten.
20. wie ein Mensch.
21. (lat.) Fabel; hier: Sage.
22. als auch.
23. Heiligtümern, Reliquien.
24. Meerfee, Nixe.
25. Juwelier.

26. echt (lat. iustus = recht, regelmäßig).
27. Stoßwaffen mit langem Holzstiel, zweischneidiger Spitze und Parierstange.
28. beobachteten, bewachten.
29. aufspaltete.
30. oft erwähnte.
31. doppeltaftenen, aus doppeltem Taft (Seidenstoff in Leinwandbindung).

XXVII. Kapitel

1. Kitzel, Trieb, Lust (vgl. *Courasche*, Kap. I).
2. zum Abschied, hier etwa: als Krönung.
3. Merkwürdigste, Bemerkenswerteste (lat. notabilis = bemerkenswert).
4. beinahe, gar.
5. Soldaten mit Hellebarden (Hellebarde: lange Hieb- und Stichwaffe).
6. Herrn, Besitzer.
7. »Der Wahn betrügt« ist eine von Grimmelshausen bevorzugte Devise, die vor allem auf den Illustrationen des sog. *Barock-Simplicissimus* (E[5]) häufig auftritt.
8. (lat.) (Auf-)Schreiber.
9. ver-, beschaffte.
10. Eigtl.: ohne Falten, d. h. junge, anziehende, hübsche.
11. Gestalt; Beschaffenheit.
12. Hier: in der Zeit, d. h. auf Erden.
13. gesteckt.
14. schlüpfen, schlurfen.
15. Forderung, Anwandlung.
16. entschloß sich (lat. resolvere = [Gedanken] befreien; vgl. Kap. I, Anm. 5).
17. umgebracht, getötet.

Werkdaten

Authentische Ausgaben zu Lebzeiten des Autors: E^1 und E^2, dazu ein Doppeldruck von E^2 (?): $E^2\alpha$.

Verfasser: Hans Jakob Christoph von Grimmelshausen (hier: Christopherus von Grimmelshausen, als Auflösung des Anagramms: Philarchus Grossus von Trommenheim).

Verleger: Wolff Eberhard Felßecker (als Auflösung des Anagramms: Felix Stratiot).

Verlagsort: Nürnberg.

Abfassungszeit: frühestens Ende 1669, möglicherweise Anfang 1670.

Frühester Hinweis auf das Werk: in Grimmelshausens *Dietwald und Amelinde* (1670).

Keine buchhändlerischen Ankündigungen oder Anzeigen.

Erscheinungstermin: E^1: gegen Ende 1670.
$\qquad\qquad\qquad\quad$ E^2: vermutlich 1671.

Originalformat: 12°.

Erste kritische Edition: *Grimmelshausens Springinsfeld*. Abdruck der ältesten Originalausgabe (1670) mit den Lesarten der anderen zu Lebzeiten des Verfassers erschienenen Ausgabe. Hrsg. von Jan Hendrik Scholte. Halle (Saale) 1928. (Neudrucke deutscher Literaturwerke des 16. u. 17. Jahrhunderts. Nr. 249–252.)

Jüngste kritische Edition: *Grimmelshausen. Der seltzame Springinsfeld*. Hrsg. von Franz Günter Sieveke. Tübingen 1969. (Grimmelshausen. Gesammelte Werke in Einzelausgaben. Unter Mitarb. von Wolfgang Bender und Franz Günter Sieveke hrsg. von Rolf Tarot.)

Stellung im Zyklus der zehn simplicianischen Bücher: Buch VIII.

Quellen: Autorerlebnisse; Eberhard von Wassenberg, *Erneuerter Teutscher Florus* (1647), Heinrich Kornmann, *Mons Veneris, Frau Veneris Berg* (1614), Melusinen-Volksbuch u. a.

Zum Text

Die vorliegende Ausgabe des *Springinsfeld*, für die dankenswerterweise eine Kopie des Originalexemplars von E[1] in der Herzog-August-Bibliothek zu Wolfenbüttel (Signatur: Lo 2314) benutzt werden konnte, versucht nach Möglichkeit den historischen Lautstand zu wahren.

Bis auf wenige Fälle, in denen Grimmelshausens intentionale Schreibweise beizubehalten war, liegt der Neufassung die gegenwärtig geltende Orthographie zugrunde. Ebenso ist trotz starker Anlehnung an die Vorlage die Interpunktion angeglichen, obwohl beispielsweise die Auflösung der Virgeln einen Eingriff in den Prosarhythmus bedeutet. Unterschiedliche Erscheinungsformen derselben sprachlichen Elemente, etwa schwankende Schreibung, sind nicht vereinheitlicht. Durch Vergleich mit der zweiten echten *Springinsfeld*-Edition, wie sie in der kritischen Neuausgabe von Franz Günter Sieveke in den »Gesammelten Werken« vorliegt, eindeutig kenntliche Druckfehler wurden verbessert. Überhaupt – das lag in der Konsequenz der Modernisierung – waren Korrekturen der wahrscheinlich höchstens ein Jahr später erschienenen autorisierten Zweitausgabe (E[2]) für die Textgestaltung maßgeblich, falls sie der Gegenwartssprache näherstehen. Die Untergliederung der Kapitel in Abschnitte folgt dem Original.

Die verschiedenen zeitüblichen Reflexiva sind beibehalten worden. Ehemalige Geminaten, einschließlich *-tt-*, sind vereinfacht. Tenues und Mediä im Anlaut bleiben in der schriftlichen Fixierung dieser Ausgabe unverändert. Andererseits ist für In- und Auslaut die heutige Rechtschreibung entscheidend, da auf Grund der Auslautverhärtung kaum phonetische Veränderungen entstanden sein dürften. Fremdwörter erscheinen nur dann in der gegenwärtigen Schreibung ihrer Herkunftssprache, wenn die ursprünglich ausgedrückte Lautung unberührt bleibt. Vereinzelte, wenigstens im Effekt wortspielerische Kontaminationen wurden nicht angetastet. Unverändert ist die Schreibweise lateinischer Wörter, sofern sie strikt als solche zu werten sind. Alle durch Tilde gekennzeichneten Abkürzungen konnten aufgelöst werden, weil Schreibung und Lautung der jeweiligen Wörter feststanden.

Im vokalischen Bereich sind die Zeichen -*ä*- und -*e*- gemäß heutigen Schreibregeln miteinander vertauscht, weil sie wohl überwiegend denselben offenen Laut repräsentieren. Früheres -*ie*- läßt auf diphthongische Aussprache oder zumindest phonetische Länge schließen und ist daher erhalten geblieben. Umlaut wurde entgegen dem Original immer dann bevorzugt, wenn – ein Charakteristikum der Erstedition des *Springinsfeld* – die nichtumgelautete Form offensichtlich auf einen Druckfehler zurückzuführen war. – Von der Apostrophierung ist abweichend von der heute gültigen Regelung relativ sparsam Gebrauch gemacht. Der Frakturdruck des Originals wurde in Antiqua umgesetzt; unterschiedliche Schrifttypen sind nivelliert, betonte, doch im Original nicht ohne weiteres als solche erkennbare Wörter erscheinen hier kursiv. Eckige Klammern kennzeichnen Konjekturen.

Für die Anmerkungen wurden die Wort- und Sacherklärungen der kommentierten Ausgaben des *Springinsfeld* kritisch verglichen.

Auswahlbibliographie

Alewyn, Richard: *Grimmelshausen-Probleme*. In: Zeitschrift für Deutschkunde 44 (1930) S. 89–102.

Alker, Ernst: *Von neuer Grimmelshausen-Forschung*. In: Germanisch-romanische Monatsschrift 29 (1941) S. 39 bis 47.

Amersbach, Karl: *Aberglaube, Sage und Märchen bei Grimmelshausen*. T. 1. Baden-Baden 1891, S. 1–32. T. 2. Baden-Baden 1893, S. 33–81. (Wissenschaftliche Beilage zum Programm des Großherzoglichen Gymnasiums zu Baden-Baden für das Jahr 1890/91 u. 1892/93.)

Bechtold, Artur: *Zur Quellengeschichte der Simplicianischen Schriften*. In: Zeitschrift der Gesellschaft für Beförderung der Geschichts-, Altertums- und Volkskunde von Freiburg, dem Breisgau und den angrenzenden Landschaften 26 (1913) S. 277–303.

Bechtold, Artur: *Johann Jakob Christoph von Grimmelshausen und seine Zeit*. Heidelberg ¹1914. München ²1919.

Bechtold, Artur: *Zu Grimmelshausens »Seltsamem Springinsfeld«. Die Meuterei des Dragonerregiments Barttel*. In: Alemania 44 (1916/17) S. 2–30.

Bechtold, Artur: *Grimmelshausens Schriften in den Meßkatalogen 1660–1675*. In: Euphorion 23 (1921) S. 496–499.

Bechtold, Artur: *Vom Drucker des Simplicissimus*. In: Die Bücherstube 4 (1925) S. 65–101.

Beck, Werner: *Die Anfänge des deutschen Schelmenromans. Studien zur frühbarocken Erzählung*. Zürich, Phil. Diss. 1957.

Bobertag, Felix: *Über Grimmelshausens Simplicianische Schriften*. Breslau, Phil. Habil. 1874.

Borcherdt, Hans Heinrich: *Die ersten Ausgaben von Grimmelshausens Simplicissimus. Eine kritische Untersuchung*. München 1921. (Einzelschriften zur Bücher- und Handschriftenkunde. Bd. 1.)

Brie, Renate: *Die sozialen Ideen Grimmelshausens, beson-

ders über die Bauern, die armen Leute und die Soldaten. Berlin 1938. (Germanische Studien. H. 205.)

Challier, Margarete: *Grimmelshausens Weltbild.* Gießen 1928.

Fahr, Johanna: *Die Bedeutung des allegorischen Elements in Grimmelshausens simplicianischen Schriften.* Marburg, Phil. Diss. 1943. [Masch.]

Fink, Reinhard: *Der Mensch in der Welt der Simplicianischen Bücher.* In: Neue Jahrbücher für Wissenschaft und Jugendbildung 12 (1936) S. 306–322.

Haberkamm, Klaus [Hrsg.]: *Des Abenteurlichen Simplicissimi Ewig-währender Calender.* Faksimile-Druck der Erstausgabe Nürnberg 1671, mit einem erklärenden Beiheft. Konstanz 1967.

Haberkamm, Klaus: *»Sensus astrologicus«. Zum Verhältnis von Literatur und Astrologie in Renaissance und Barock.* Bonn 1972. (Abhandlungen zur Kunst-, Musik- und Literaturwissenschaft. Bd. 124.)

Hachgenei, Wilhelm Joseph: *Der Zusammenhang der »Simplicianischen Schriften« des Hans Jacob Christoffel von Grimmelshausen. Die Lebensbeschreibung des Simplicius Simplicissimus, der Courage, des Springinsfeld und die Geschichten des wunderbarlichen Vogelnestes eins und zwei.* Heidelberg, Phil. Diss. 1957. [Masch.]

Hayens, Kenneth C.: *H. J. Chr. v. Grimmelshausen's minor works.* In: Journal of English and Germanic Philology 30 (1931) S. 516–530.

Heining, Willi: *Die Bildung Grimmelshausens.* Bonn, Phil. Diss. 1962.

Herbst, Gisela: *Die Entwicklung des Grimmelshausenbildes in der wissenschaftlichen Literatur.* Bonn, Phil. Diss. 1956. (Bonner Arbeiten zur deutschen Literatur. Bd. 2.) – Rezension: R. Alewyn, Euphorion 52 (1958) S. 319–323; J. G. Boeckh, Deutsche Literaturzeitung 79 (1958) Sp. 1075–83.

Köhler, Arthur: *Der kulturgeschichtliche Gehalt der Simplicianischen Schriften. Ein Beitrag zur Geistesgeschichte der ersten Jahrzehnte des 17. Jahrhunderts.* In: Studium Lipsiense. Berlin 1909, S. 225–269.

Könnecke, Gustav: *Quellen und Forschungen zur Lebensgeschichte Grimmelshausens.* Hrsg. im Auftrage der Gesellschaft der Bibliophilen von Jan Hendrik Scholte. Bd. 1.2. Weimar 1926 u. 1928.

Koschlig, Manfred: *Grimmelshausen und seine Verleger. Untersuchungen über die Chronologie seiner Schriften und den Echtheitscharakter der frühen Ausgaben.* Leipzig 1939. (Palaestra 218.)

Koschlig, Manfred: *Das Lob des »Francion« bei Grimmelshausen.* In: Jahrbuch der Deutschen Schillergesellschaft 1 (1957) S. 30–73.

Koschlig, Manfred: *»Edler Herr von Grimmelshausen«. Neue Funde zur Selbstdeutung des Dichters.* In: Jahrbuch der Deutschen Schillergesellschaft 4 (1960) S. 198 bis 224.

Koschlig, Manfred: *Der Mythos vom »Bauernpoeten« Grimmelshausen.* In: Jahrbuch der Deutschen Schillergesellschaft 9 (1965) S. 33–105.

Koschlig, Manfred: *»Der Wahn betreügt.« Zur Entstehung des Barock-Simplicissimus.* In: Neophilologus 50 (1966) S. 324–343.

Meid, Volker: *Der deutsche Barockroman.* Stuttgart 1974. (Sammlung Metzler 128.)

Negus, Kenneth: *Grimmelshausen.* New York 1974. (Twayne's World Authors Series 291.)

Neuhaus, Volker: *Typen multiperspektivischen Erzählens.* Köln 1971. (Literatur und Leben. N. F. Bd. 13.)

Petersen, Jürgen H.: *Formen der Ich-Erzählung in Grimmelshausens Simplicianischen Schriften.* In: Zeitschrift für deutsche Philologie 93 (1974) S. 481–507.

Peuckert, Will Erich: *Zu Grimmelshausens »Springinsfeld«.* In: Zeitschrift für deutsche Philologie 74 (1955) S. 422 f.

Rausse, Hubert: *Zur Geschichte des spanischen Schelmenromans in Deutschland.* Münster 1908. (Münstersche Beiträge zur neueren Literaturgeschichte. H. 8.)

Rehder, Helmut: *Planetenkinder: Some Problems of Character Portrayal in Literature.* In: The Graduate Journal, Vol. 8, Nr. 1, The University of Texas, Austin 1968, S. 69–85.

Ristow, Brigitte: *Grimmelshausen-Studien.* Berlin, Phil. Diss. 1952. [Masch.]

Salditt, Barbara: *Das Werden des Grimmelshausenbildes im 19. und 20. Jahrhundert.* Chicago, Ill., Phil. Diss. 1933.

Schäfer, Walter Ernst: *Laster und Lastersystem bei Grimmelshausen.* In: Germanisch-romanische Monatsschrift 43 (1962) S. 233–243.

Schäfer, Walter Ernst: *Tugendlohn und Sündenstrafe in Roman und Simpliciade.* In: Zeitschrift für deutsche Philologie 85 (1966) S. 481–500.

Scholte, Jan Hendrik: *Probleme der Grimmelshausenforschung.* Bd. 1 [mehr nicht ersch.]. Groningen 1912. – Rezension: A. Bechtold, Euphorion 20 (1913) S. 515–520.

Scholte, Jan Hendrik: *Johann Jacob Christoph von Grimmelshausen und die Illustration seiner Werke.* In: Zeitschrift für Bücherfreunde 4,1 (1912) S. 1–21 u. 33–56. – Gekürzt in: J. H. Sch.: Der Simplicissimus und sein Dichter, S. 219–264.

Scholte, Jan Hendrik: *Die sprachliche Überarbeitung der Simplicianischen Schriften Grimmelshausens.* In: Zeitschrift für Bücherfreunde N. F. 12 (1920) S. 1–21.

Scholte, Jan Hendrik: *Grimmelshausen und die Melusinensage.* In: Die Ortenau 10 (1923) S. 25.

Scholte, Jan Hendrik: *Der Simplicissimus und sein Dichter.* Tübingen 1950.

Schrumpf, Jürgen: *Der Erzähler in den Simplicianischen Schriften.* Göttingen, Phil. Diss. 1956. [Masch.]

Schuchardt, Wolfgang: *Studien zu Grimmelshausen, insbesondere sein Sprachstil.* Berlin 1928. (Germanische Studien. H. 57.)

Sieveke, Franz Günter [Hrsg.]: *Grimmelshausen. Der seltzame Springinsfeld.* Grimmelshausen. Gesammelte Werke in Einzelausgaben. Unter Mitarb. von Wolfgang Bender und Franz Günter Sieveke hrsg. von Rolf Tarot. Tübingen 1969.

Sommer, Herma: *Die Geschichte der Grimmelshausenforschung*. Prag, Phil. Diss. 1943.

Speter, Max: *Grimmelshausens Schriften in den Meßkatalogen 1660–1675*. In: Euphorion 26 (1925) S. 278.

Speter, Max: *Unerkannt-Unbekanntes von Grimmelshausens »Simplicius«, »Courage« und »Springinsfeld«*. In: Philobiblon 8 (1935) S. 425–432.

Streller, Siegfried: *Grimmelshausens Simplicianische Schriften. Allegorie, Zahl und Wirklichkeitsdarstellung*. Berlin 1957. (Neue Beiträge zur Literaturwissenschaft. Bd. 7.)

Streller, Siegfried: *Zahlenkomposition in den Simplicianischen Schriften Grimmelshausens und ihre Bedeutung*. In: Weimarer Beiträge 3 (1957) S. 185–200.

Wagener, Hans: *The German Baroque Novel*. New York 1973. (Twayne's World Authors Series 229.)

Welzig, Werner: *Ordo und verkehrte Welt bei Grimmelshausen*. In: Zeitschrift für deutsche Philologie 78 (1959) S. 424–430 u. 79 (1960) S. 133–141.

Welzig, Werner: *Beispielhafte Figuren. Tor, Abenteurer und Einsiedler bei Grimmelshausen*. Graz u. Köln 1963.

Weydt, Günther: *Zur Entstehung barocker Erzählkunst bei Harsdörffer und Grimmelshausen*. In: Wirkendes Wort, Sonderh. 1 (1952) S. 61–72.

Weydt, Günther: *Nachahmung und Schöpfung im Barock. Studien um Grimmelshausen*. Bern u. München (1968).

Weydt, Günther [Hrsg.]: *Der Simplicissimusdichter und sein Werk*. Darmstadt 1969. (Wege der Forschung. Bd. 153.)

Weydt, Günther: *Hans Jacob Christoffel von Grimmelshausen*. Stuttgart 1971. (Sammlung Metzler 99.)

Zuckermann, Ruth F.: *Probleme der Grimmelshausen-Forschung*. New York, Phil. Diss. 1952.

Nachwort

»Coniunctio Saturni, Martis & Mercurii«

Grimmelshausens *Seltzamer Springinsfeld* wird von drei
Figuren beherrscht. Es sind der Titelheld selbst, dessen Lebensgeschichte das Hauptstück des Werkes bildet; der alte
Simplicissimus, auf dessen Anregung Springinsfelds Erzählung niedergeschrieben wird; und schließlich der Schreiber
Trommenheim, der den Auftrag ausführt und den Rahmen-
erzähler der Simpliciade abgibt. Diesen wichtigen Funktio-
nen gemäß erscheinen alle drei bereits im Wortlaut des
Titelblattes. Ihre Bedeutung wird dadurch noch unterstri-
chen, daß Springinsfeld mit je wachsender erzählerischer
Betonung schon im *Simplicissimus Teutsch* und im anschließenden *Trutz Simplex* eingeführt ist, daß Simplicissimus
dem gesamten Zehn-Bücher-Zyklus als Zentralgestalt den
Namen geliehen hat und daß Trommenheim schon die Niederschrift des *Trutz Simplex* verdankt wird. Das Trio
trägt auf diese Weise auch zur Verklammerung der simplicianischen Bücher bei und hat, wenigstens vordergründig,
Anteil an deren verständnisförderndem Zusammenhang,
wie ihn der Autor in seinem ›literarischen Testament‹ feststellt.
Im *Springinsfeld* hebt Grimmelshausen die drei Figuren
gleich anfangs aus dem sonstigen Personal heraus, indem er
sie auffällig an *einem* Ort, und zwar zunächst isoliert von
anderen, zusammentreffen läßt: Simplicissimus, Trommenheim und Springinsfeld suchen einer nach dem andern am
Ofen eines Wirtshauses Schutz vor grimmiger Winterskälte
und geraten miteinander ins Gespräch. Noch stärker werden sie durch ihre besondere literarische Konzeption ausge-
zeichnet. Diese ist astrologischer Art. Das besagt, daß
Grimmelshausen bei der epischen Gestaltung der Dreier-
gruppe im Geiste der ins 17. Jahrhundert tradierten Lehre
vom zweifachen Schriftsinn verfährt. Die aufs Altertum

zurückgehende und im Mittelalter voll ausgebildete Auffassung unterscheidet bei solcherart geplanter oder nachträglich interpretierter Aussage zwischen einer buchstäblichen, gewissermaßen sinnlich faßbaren Bedeutung des Wortes und des ganzen Textes sowie einer verborgen dahinter- oder darüberliegenden Sinnschicht. Letztere, als allegorisch bezeichnete Bedeutungsstufe ist auf verschiedene Weise differenzier- und konkretisierbar. Eine Möglichkeit der Unterscheidung und Inhaltsbestimmung der allegorischen Textschicht, die ansatzweise in Patristik und Mittelalter vorhanden ist und besonders für die Renaissance und das im ganzen astrologiegläubige Barock in Betracht gezogen werden muß, ist die astrologische. So weisen bestimmte Texte über sich hinaus und besitzen – will man einmal Zusammengehöriges und voneinander Abhängiges zur Verdeutlichung trennen – außer ihrem Wortverstand noch eine astrologische Bedeutungsebene auf. Für diese astrologische Bedeutungsebene ist in der Auslegungskunde der Fachausdruck »sensus astrologicus« überliefert. Ein Text besitzt beispielsweise dann einen »sensus astrologicus«, wenn durch diesen Text konstituierte Figuren zusätzlich als Planetengötter zu verstehen sind.

Ein solcher Fall liegt bei Grimmelshausen vor. Schon vor dem *Springinsfeld* verleiht er – Kenner der einschlägigen Theorie – simplicianischen Gestalten astrologische Signifikanz. Als Modell ist der ›Jupiter‹ des *Simplicissimus Teutsch* anzuführen, dessen Name die allegorische Auslegung erleichtert. ›Jupiter‹ ist angemessen nicht nur als groteske Narrenfigur mit utopischen Wunschvorstellungen auf der Ebene des historialen Sinnes zu begreifen, sondern auch und ganz wesentlich als Planetengott Jupiter auf der allegorisch-astrologischen Sinnstufe der Erzählung.

Die zeitgenössischen Leser des simplicianischen Autors dürften, ohne daß sich bislang entsprechende Verlautbarungen beibringen ließen, seine allegorisierende Absicht durchschaut haben. Wahrscheinlich fehlen Zeugnisse gerade darum, weil der hermeneutische Sachverhalt für das astrologieorientierte späte 17. Jahrhundert so offenkundig war. Dem modernen Exegeten steht mit dem *Ewig-währenden Calender*, in dem der astrologiekundige und sich zur Astrologie bekennende Verfasser seine Kenntnisse dieser epochalen Ideologie unterbreitet, das entscheidende Hilfsmittel zur Verfügung. Er kann etwa wörtliche Übereinstimmungen zwischen der Gebrauchsschrift und den Ausführungen des Narren ›Jupiter‹ erkennen und entgeht so übrigens der drohenden Gefahr, die astrologische Bedeutung der Figur für die scheinbar vorliegende mythologische Signifikanz zu halten. Der Vergleich des Kalenders mit dem Roman zeigt auch, daß Grimmelshausen die Chancen, die ihm die Astrologie für den doppelsinnigen Entwurf seiner Gestalten bot, voll wahrnahm. Das ›Wesen‹ der Sterngötter Saturn und Merkur wurde als ambivalent begriffen; der *Ewig-währende Calender* spiegelt diese Anschauung. Dementsprechend übertrug der Dichter je eine der zwei Seiten des astrologischen Saturn-Bildes auf den positiv gezeichneten Einsiedler und auf den negativ aufgefaßten Profos. Olivier und Herzbruder versah er mit den jeweiligen Zügen des zwischen Gut und Böse schwankenden Planeten Merkur.

Mit Hilfe der kalendarischen Schrift und geschult an epischen Mustern versteht der Interpret auch das im Mittelpunkt stehende Trio des *Springinsfeld* im Sinne der Autorintention. Die drei simplicianischen Personen haben ebenfalls je eine astrologische Sinndimension. Um mit Simplicissimus zu beginnen: Er verweist auf den Planeten Saturn in seinem positiven Verstande. Das gilt sowohl für die äußeren als auch für die inneren Merkmale der Figur. Simplicissimus fällt vornehmlich durch seine Eßbegierde auf, ißt er doch nach der Beobachtung Trommenheims wie ein Drescher für zwei. Auch sticht seine Erscheinung vom Üblichen ab. Allgemein gesprochen, sieht Simplex aus wie »viel ein anderer Mensch«, im besonderen ist er von riesenhaftem Wuchs. Sein zweifarbiger, halb schwarzer, halb falber Bart hat ungewöhnliche Größe, die Frisur des Fremden erinnert den Schreiber an das lange Haar des aus der menschlichen Gesellschaft verstoßenen babylonischen Königs Nebukadnezar. Simplicissimus trägt einen schwarzen, bis ans Knie reichenden Tuchrock altmodischen Schnitts und hohen Alters. Der lange Pilgerstab, den er bei sich hat, eignet sich nach Trommenheims Urteil als überaus wirksame, sogar todbringende Waffe. Man könnte jemandem damit, läßt Grimmelshausen den Schreiber metaphorisch sagen, »in einem Streiche die letzte Ölung« reichen. – Außerdem gibt sich der »Schwarzrock« bis zur Bedrohlichkeit ernsthaft und überaus wortkarg. Nur ein einziges Mal läßt er sich zum Lachen hinreißen. Vielmehr plädiert er nachdrücklich für das Weinen als angemessene menschliche Verhaltensweise. Springinsfeld, dem Simplicissimus auf Grund seiner Unverfrorenheit und Händelsucht das Gefängnis in Aussicht stellt, kommt er denn auch wie ein »Pfaff« oder gar wie ein Heiliger vor. Dazu paßt die betonte, religiös untermauerte Moralität des nach eigener Beteuerung von den Jugendsünden geläuterten Alten.

Alle diese Züge und Kennzeichen der Simplicissimus-Gestalt im *Springinsfeld*, die eine Bemerkung des Erzählers im 9. Kapitel noch einmal ins Bewußtsein des Lesers hebt, finden ihr Gegenstück in Grimmelshausens *Ewig-währendem Calender*, und zwar in den astrologischen Abschnitten über den Planeten Saturn. Der in die Astrologie übergegangene Mythos vom Kinderfresser als der Verbildlichung der sich selbst verzehrenden Zeit, wie sie der Uroboros auf dem Titelkupfer des Kalenders abwandelt, findet schon in einer eindringlich erzählten Episode des *Simplicissimus Teutsch* seinen epischen Ausdruck: Als der kleine Simplicius dem Einsiedler im Walde begegnet, befürchtet er, von diesem gefressen zu werden. Er glaubt, der unheimlich aussehende Mann wolle ihm das Herz aus dem Leibe reißen. Der Eremit aber, leiblicher Vater des Kindes, verweist – wie Günther Weydt entdeckt hat – auf Grund zahlreicher und vielfältiger Indizien auf den Planeten Saturn. In der Gasthausszene des *Springinsfeld* handelt es sich um eine Variante der Episierung jener astrologischen Vorstellung, die satirischsimplicianischen Einschlag besitzt und ihren spielerisch-heiteren Kern am schlagendsten durch den Auftritt des Simplicissimus-Sohnes enthüllt. Nach Angabe des Kalenders ist das Bild des Planetengottes Saturn des weiteren das eines alten Mannes mit Stab und schwarzen Kleidern. Ein Holzschnitt in Grimmelshausens Quelle für diesen Textteil macht die Übereinstimmung zwischen astrologischer Vorlage und epischer Gestaltung noch deutlicher, indem ein großer Bart, reiches Haupthaar und ein wadenlanger schwarzer Kittel antiquierten Zuschnitts als Kennzeichen Saturns zu den textlich vermittelten hinzutreten. Der Stecken des Simplicissimus korrespondiert mit dem Stab des Planeten, ursprünglich der Sense der Zeit- und Totengottheit. Dazu passend, eignet sich Simplicius' Stock zum Töten, wobei die dafür vom Dichter verwandte Metaphorik der Letzten Ölung auf das in der Astrologie dem letzten Planeten innerhalb der Chaldäischen Reihe zugeschriebene Sakrament anspielen mag. Die Drohung des Alten, Springinsfeld wegen ungebührlichen Benehmens aus dem Fenster zu werfen, muß in diesem allegorischen Zusammenhang gesehen werden. – Saturnisch-melancholisches Temperament, strukturell gleich beim Planeten und den ihm unterstellten Menschen, ist geprägt von Nachdenklichkeit, Ernsthaftigkeit, Schweigsamkeit, Weisheit, Frömmigkeit und der Ablehnung alles Frivolen. Das ist mit repräsentativer Gültigkeit im Kalender abzulesen. Alle diese Qualitäten finden sich an der Simplicissimus-Gestalt des *Springinsfeld* wieder. Rückt ihn daraufhin der ehemalige Kamerad erstaunt in die Nähe der Geistlichen und Heiligen, kommen typische Saturnier ins Spiel. Überdies bedeutet Saturn nach astrologischer Lehre das Gefängnis, was Grimmelshausen im *Simplicissimus Teutsch* besonders überzeugend ins Erzählerische umzusetzen verstanden hat. Nicht zuletzt steht Simplicissimus' hohes Alter – neben der Dauerhaftigkeit *die* saturnisch signifikante Erscheinungsform des Zeitprinzips – im Einklang mit der astrologischen Kennzeichnung des uralten Sterngottes.

Es kann demnach – die Belege ließen sich vermehren – von einer weitgehenden Kongruenz zwischen astrologischer Saturn-Vorstellung, wie sie vor allem der *Ewig-währende Calender* festhält, und der epischen Konzeption des Simplicius im *Springinsfeld* gesprochen werden, ohne daß dessen reine, nicht-astrologische Figurhaftigkeit beeinträchtigt würde. Vielmehr ist diese die Voraussetzung für die allegorisch-astrologische Signifikanz der simplicianischen Gestalt. Simplicissimus verweist also auf einen Planetengott, er bedeutet Saturn. Die Mehrsinnigkeit von Trommenheims Aussage, der Fremde sei ihm wie »viel ein anderer Mensch« erschienen, zielt auf den »sensus astrologicus« der Figur.

Einige raum-zeitliche Indizien erhärten diese Auslegung. Mehrfach auf engem Raum erfährt der Leser, Simplicissimus komme gerade aus Indien zurück. Indien untersteht nach Auskunft des Grimmelshausenschen Kalenders dem Tierkreiszeichen »Steinbock« als einem der beiden ›Häuser‹ des Saturn und wird damit nach astrologischer Doktrin von diesem Planeten regiert. Außerdem liegt zwischen den gemeinsam verlebten Abenteuern in Soest und Simplicius' Wiedersehen mit Springinsfeld eine Zeitspanne von »mehr als dreißig Jahren«, wie Simplex erwähnt. Sie ist nicht nur von Grimmelshausen her historisch zu verstehen. Sie ist auch die Umlaufzeit des Planeten Saturn. Die bewußt nicht präzisierte Angabe fällt in der Simpliciade um so mehr ins Gewicht, als der *Ewig-währende Calender* im Gegensatz zu vielen anderen astrologischen Texten gerade die über die runde Zahl von drei Jahrzehnten hinausgehende Dauer der Rotationszeit betont. Schließlich gilt in der Astrologie Saturn auf Grund seiner großen Entfernung von der wärmespendenden Sonne als der Winterplanet. Stände er, heißt es im Kalender, näher bei der Erde, würde er einen ewigen Winter verursachen. Seine beiden Tierkreiszeichen fallen in diese Jahreszeit. Die Rahmenhandlung des *Springinsfeld*, in der Simplicius auftritt und ein wichtiger Nachtrag zu seiner Lebensgeschichte erfolgt, spielt zur Weihnachtszeit; es herrscht klirrender Frost, der die drei Figuren an den warmen Ofen treibt. Kälte und andere Wintererscheinungen werden wiederholt genannt und erzählerisch nutzbar gemacht, wodurch die Grenze der Wirtshausszene zur Gesamthandlung überschritten wird. Stellvertretend sei auf das Wolfsabenteuer des Titelhelden hingewiesen, in dessen Verlauf er sich eine »winterlange Nacht auf dem Tach behelfen« muß und vom Erfrieren bedroht ist.

Da Simplicissimus den Planeten Saturn, und zwar in seiner positiven Möglichkeit, bezeichnet, erhebt sich die Frage, auf welche astralen Götter die beiden anderen Mitglieder des simplicianischen Trios allegorisch verweisen. Die Astrologie zeigt eine Vorliebe für die in ihrem Synkretismus fesselnde Saturn-Gottheit. Aus diesem Grunde überwiegen Texte, die der Beschreibung dieses Planeten gewidmet sind, in der Regel schon umfangmäßig die der sechs übrigen klassischen Sternregenten. Entsprechend ergiebig kann, wie der *Springinsfeld* beweist, die Umsetzung der astrologischen Vorstellung in Epik ausfallen. Umgekehrt hat man mit einer Beschränkung auf wenige, allerdings markante Merkmale zu rechnen, wenn es um die erzählerische Verwertung anderer als saturnischer Planetenauffassungen geht. Jedenfalls ist das der Sachverhalt im *Springinsfeld*: Trommenheim, mit dem fortgefahren werden soll, wird mit knappen Strichen gezeichnet. Dennoch reichen sie für die Bestimmung der ihm von Grimmelshausen zugedachten astrologischen Bedeutung aus. Trommenheim ist Autor, wie das Titelblatt des Buches ankündigt, er bringt die Simpliciade zu Papier. Der *Trutz Simplex* ist vorausgegangen. Seinem Selbstverständnis nach ist Trommenheim Schreiber, zu Beginn des Werkes erzählt er von seiner Suche nach einem Schreiberdienst. In dieser Funktion repräsentiert Trommenheim allegorisch den Schreibergott Merkur, der auf astrologischen Illustrationen mit Papierrolle und Schreibfeder abgebildet wird. Der Blick auf das Figurenpaar Herzbruder und Olivier im *Simplicissimus Teutsch*, die unter anderem, aber vor allem als Schreiber die gegensätzlichen Wesenshälften des Merkur signifizieren, unterstützt diese Interpretation. Auf das Amt auch des astrologischen Merkur als »Boten« *(Ewig-währender Calender)* weist es, daß Trommenheim Simplicius die ebenso bedeutsame wie »annehmliche Botschaft« bringt, »daß nämlich sein Sohn Simplicius von der leichtfertigen Courage nicht geboren worden seie [. . .]«. Auch die herausragende Intelligenz und der »weise Menschensinn« des Schreibers, die ihm Simplex und die Courasche bescheinigen, deuten auf den Planeten Merkur, der nach astrologischem Glauben über »Vernunft und sinnreichen Verstand« verfügt und sie den ihm unterstellten Menschen wie Gelehrten, Schriftstellern und bildenden Künstlern mitteilt. Es scheint, als solle der zweifarbige, eine ingeniöse Erklärung geradezu herausfordernde Bart des Simplicissimus dem Schreiber Trommenheim vor allem den Anlaß bieten, seine Klugheit und Urteilskraft unter Beweis zu stellen. So tolpatschig und rhetorisch ungeschickt sich der Schreiber bei der Aufwartung an einem vornehmen Hof benimmt, so wendig und rednerisch versiert gibt er sich Simplicissimus gegenüber: Demonstration merkurischer Ambivalenz am Inbegriff merkurischer Geistigkeit, der Beredsamkeit. Denn Merkur gilt auch in der Astrologie als Gott der Rhetorik und der Redner. Schreiber-Beruf, Boten-Funktion, intellektuelle Brillanz und sprachliche Gewandtheit weisen eindeutig auf den Planeten Merkur. Die mehrmals von Trommenheim gerühmte Kraft der Einbildung steht im Einklang mit der Angabe des Kalenders, daß Merkur »die Geister, das Gedächtnis, die Einbildung« eigne. Alles das zusammen macht die wesentlich positiven Merkmale aus, mit denen die Astrologie die »gute« Wesenshälfte dieses Planeten bestimmt. Ein detaillierteres Bild der epischen Figur unter Verwendung allen Kalendermaterials hätte von der Eindeutigkeit ihrer astrologischen Signifikanz zu deren schillernder Unentschiedenheit geführt. Diese aber lag nicht in der Absicht Grimmelshausens, kann sich doch nach astrologischer Meinung zum »guten« Saturn, wie ihn hier Simplicissimus allegorisch vertritt, nur der Merkur in seiner ebenfalls positiven Definition bei seinem Umlauf gesellen: Der Planet, konstatiert

der *Ewig-während Calender*, ist »mit den guten Planeten
gut, mit den bösen bös«.
Als dritte Figur bleibt Springinsfeld auf seine astrologische
Bedeutungsfunktion zu befragen, wird er in diesem Trio
doch kaum eine Ausnahme machen. Bereits das Titelblatt
kündigt die Lebensgeschichte eines »weiland frischen, wohl-
versuchten und tapfern Soldaten« an. Demgemäß weist
sich Springinsfeld im 2. Kapitel der Simpliciade und darüber hinaus in seiner ganzen Erzählung als Krieger be-
ziehungsweise als Veteran mit allen erforderlichen Eigenschaften aus. Diese Kennzeichnung reicht hin, den Titelhelden zu dem astralen Kriegsgott Mars in Beziehung zu
setzen, dem Grimmelshausens Kalender wie alle astrologischen Zeugnisse den Sinnbezirk des Kriegerisch-Militä-
rischen und des Streitbaren zuschreibt. Mit keinem anderen
Planeten teilt Mars diese Zuordnung. Springinsfeld kann
folglich nur die astrologische Bedeutung dieses Planeten
besitzen. Bestätigt wird diese Auslegung durch Einzelzüge
des astrologischen Mars-Bildes, die sich im simplicianischen
Werk wiederfinden: Die anfänglichen Reibereien und Streitigkeiten in der Gaststube zwischen den ehemaligen Kameraden Simplicissimus und Springinsfeld deuten auf die
Eigenart des Planeten Mars hin, »zwischen alten Freunden
Irrtumb zu machen«, wie es in Grimmelshausens Kalender
heißt. Der Hund auf dem Titelkupfer, der Springinsfelds
Bein mit einem Baum verwechselt, ist zunächst einmal Sinnbild der Verachtung und damit des erbärmlichen Stands
des abgedankten Soldaten. Als dem Planeten Mars unter-
stelltes Tier – laut Kalender hat die Mars-Allegorie ikonographisch »vor sich einen Hund« – könnte er noch eine
andere allegorische, das heißt: astrologische Signifikanz besitzen. Somit erhielte das Kupfer des Werkes einen paro-
distischen Einschlag; der Stecher hätte sich, wohl durch die
Einflußnahme des Autors, bei seinem Entwurf an der gän-
gigen astrologischen Bildkomposition ausgerichtet. Wirklich
passen das zugleich spitz-hagere und verschlagene Gesicht
der Figur mit dem großen Mund, ihre klein und mager er-

scheinende Statur, die abgerissene und geflickte Uniform sowie der Degen am Bandelier zu einer solchen Konzeption, die der *Ewig-währende Calender* vorgibt. Im Sinne der Astrologie martialisch bedeutsam sind neben seinem cholerischen Temperament zudem Springinsfelds Gottlosigkeit, Hoffart, Vermessenheit, Ungeduld, Abneigung gegen die Tugend und Rachsucht – alles schon im 2. Kapitel der simplicianischen Schrift erkennbare Züge und Verhaltensweisen des ehemaligen Dragoners. – Der Vergleich mit der vordergründig ähnlichen Gestalt des Dragoners im »Paradeis«, der im *Simplicissimus*-Roman vorkommt, hebt die martialische Bedeutung des Springinsfeld hervor. Die Figur des großen Werkes ist durch Merkmale, die Springinsfeld fehlen, eindeutig saturnisch zu interpretieren, und sie wird von Grimmelshausen ausdrücklich mit dem saturnisch signifikativen Einsiedler in Verbindung gebracht. Immerhin weist Springinsfelds Charakteristik ebenfalls eine gewisse Nähe zur besonders ikonographisch faßbaren Saturn-Vorstellung der Astrologie auf. Der ehemalige Soldat erscheint als zerlumpter Bettler mit einem Holzbein und besitzt einen ansehnlichen, aber versteckt gehaltenen Geldbetrag. Armut, Stelze oder Prothese als ursprüngliche Sinnbilder der Kastration und paradoxerweise ein verborgener Schatz kennzeichnen klar den geheimnisumgebenen, entmannten, auch astrologisch als Wahrer des Reichtums verstandenen Saturn. Springinsfelds Vereinsamung im »gebrechlichen Alter«, seine Kinderlosigkeit und ausdrücklich als nachlassend gekennzeichnete Potenz sowie die Abneigung gegen eheliche Bindung, wenn nicht Frauenfeindschaft überhaupt, verstärken den astrologischen Verweischarakter noch. Hauptsächlich aber bezeichnet der händelsuchende Springinsfeld den konfliktbegierigen Planetengott Mars, wie schon formal aus dem Übergewicht seiner martialischen Lebensgeschichte über die restlichen Teile des Buches hervorgeht.

Das Ergebnis der bisherigen Erörterung lautet also: Das Figurentrio, das zu Beginn des *Springinsfeld* gemeinsam und exklusiv eingeführt wird, hat je im einzelnen und ins-

gesamt astrologische Signifikanz gemäß der Texttheorie
vom zweifachen Schriftsinn. Die drei simplicianischen Gestalten bedeuten Planetengötter, Simplicissimus den Saturn,
Trommenheim den Merkur und Springinsfeld den Mars, im
ganzen eine kosmische Versammlung dreier Planeten. Außer
für Simplex stellt die Astrologie, im wesentlichen vertreten
durch den *Ewig-währenden Calender*, nur wenig ›Rohstoff‹
zu epischer Nutzung zur Verfügung. Zwar reicht dieser für
eine gültige Interpretation aus, doch ist es um so willkom-
mener, daß Grimmelshausen selbst den Beweis für die
unterbreitete These liefert.
Er hat dem bedeutungsvollen 2. Kapitel der Simpliciade die
Überschrift gegeben: »Coniunctio Saturni, Martis & Mercurii«! Der astronomisch-astrologische Fachausdruck der
Konjunktion meint eine bestimmte Kon-Stellation, die nach
Auffassung der Epoche mehrere Planeten in einem Tierkreiszeichen auf engstem Raum zusammenführt. Ein zeit-
genössisches deutschsprachiges Synonym für Konjunktion
– das übrigens auch im Grimmschen Wörterbuch verzeich-
net ist – heißt »Zusammenkunft«. Die scheinbar nur wört-
lich zu verstehende Bemerkung des Schreibers, er habe bei
Simplicissimus' Begegnung mit Springinsfeld einer »unversehenen Zusammenkunft« beigewohnt, deutet demnach zusätzlich allegorisch auf die Konstellation hin und betont
den astrologischen Begriff. Als »unversehen« ist die Zusammenkunft demnach nicht nur gekennzeichnet, weil
Trommenheim unverhofft ihr Zeuge wird. Sie ist es auch
im allegorischen Sinne, da die Konjunktion Saturns mit
Mars nur ungefähr in Zweijahresabständen erfolgt und
demnach im fraglichen Augenblick nicht unbedingt zu er-
warten steht.
Daraus ist zu folgern: Die im 2. Kapitel des *Springinsfeld*
erzählte Begegnung ist nicht nur buchstäblich zu begreifen,
sondern weist über sich hinaus. Sie bedeutet als solche die
Konjunktion dreier anthropomorph verstandener Planeten.
Konkret entsprechen die drei Gäste Simplicius, Springinsfeld und Trommenheim den drei, in dieser Reihenfolge in

der Überschrift aufgeführten Planetennamen Saturn, Mars und Merkur, zumal das Kapitel – von der nur beiläufig erwähnten, unwichtigen Nebengestalt des Hausknechts abgesehen – keine weiteren Personen erwähnt. Die inhaltlichen Zuordnungen sind im einzelnen bereits durchgeführt worden. Es liegt in der Konsequenz dieser autoradäquaten Auslegung, und Helmut Rehder ist in diesem Punkte so verfahren, dem Wirtshaus in Straßburg den allegorischen Sinn eines astrologischen ›Hauses‹, wie bestimmte Planetendomizile in dieser Lehre genannt werden, zuzuerkennen – in der gesamten Episode also auch im Detail des Milieus astrologische Bedeutsamkeit zu erblicken. Dann ergibt sich eine Präzisierung der allegorischen Signifikanz des Gasthauses durch die Berücksichtigung seiner Funktion als Ort der Wärme im Winter: Es bedeutet ein nach der alten Elemententheorie feurig-hitziges ›Haus‹ oder Tierkreiszeichen im Winterquartal. Der »Schütze« (21. XII. bis 20. I.) erfüllt diese Kriterien. In Übereinstimmung damit spielt das Zusammentreffen der drei Figuren zur Zeit der Weihnachtsmesse, die auch in Straßburg wenige Tage vor dem Fest stattgefunden haben dürfte. Ohnehin ordnet die Astrologie dem Planeten Mars die Hitze zu, wie sie Saturn die Kälte zuschreibt. Sofern es bei der »unversehenen Zusammenkunft« nach Trommenheims Worten eigentlich um die Begegnung des Simplicissimus in der allegorischen Bedeutung des Planeten Saturn mit seinem »Schwager« Springinsfeld in der allegorischen Bedeutung des verwandten Planeten Mars zu tun ist, fällt der Kontrast von kaltem Winterwetter und heißem Stubenofen in seiner allegorischen Sinndimension um so mehr als Beweismittel ins Gewicht. Für die derart herausgehobene »Coniunctio Saturni & Martis« stellt Grimmelshausens Kalenderschrift bestätigend fest, es sei »böse«, zu reisen sowie Händel und Zank anzufangen – Angaben mit voller epischer Entsprechung in der Exposition des Springinsfeld: Die Beschwerlichkeit des Reisens zur Winterszeit ist für alle drei Betroffenen, besonders für den Schreiber, offensichtlich; Streitigkeiten zwischen

Springinsfeld und Trommenheim, in die sich Simplicissimus mit massiven Drohungen einschaltet, enden beinahe mit der Festnahme der Kampfhähne. Einmal mehr kommt dabei die astrologische Anschauung zu epischer Geltung, daß der Planet Saturn Gefängnis und Gefangenschaft bedeute, zumal Trommenheim kurz vorher berichtet hat, er habe sich bei den Zigeunern wie ein Gefangener gefühlt. – Schließlich kann jetzt die bereits betrachtete Lehrmeinung, Merkur sei gut mit anderen guten Planeten und umgekehrt, noch enger mit den erzählten Geschehnissen verknüpft werden, nachdem der Begriff der Konjunktion in der Erzählung aufgespürt worden ist. Im *Ewig-währenden Calender* steht zu lesen, der Planet Merkur habe besonders »seine Zuneigung zu den Planeten, so ihm zugetan oder mit denen er sich konjungiert«, zu denen er in Konjunktion tritt. Im 2. Kapitel des *Springinsfeld* liegt nach Ausweis der Überschrift eine Konjunktion vor, an der der Planet Merkur beteiligt ist. Diese Konstellation ist nach den Gesetzmäßigkeiten der Schriftsinn-Allegorese die astrologische Bedeutungsschicht des erzählten Geschehens, auf das sie zurückweist. Die Stufe der epischen Handlung muß demnach Entsprechungen zur merkurischen Konjunktion aufweisen, wie sie der Kalender Grimmelshausens erläutert. In der Tat fällt die »Zuneigung« ins Auge, die Trommenheim, der allegorisch für Merkur steht, zu dem ihm gewogenen, auf den Planeten Saturn deutenden Simplicissimus faßt. Er vergafft sich »schier zum Narren« an dem Alten im seltsamen Aufzug, der ihm seinerseits respektvoll »einen rechtschaffnen Verstand und ein [entsprechendes] Iudicium« bescheinigt.

Das 2. Kapitel des *Seltzamen Springinsfeld*, überschrieben mit »Coniunctio Saturni, Martis & Mercurii«, ist, wie sich ergeben hat, durch und durch astrologisch signifikant. Einige seiner verweiskräftigen Motive spielen in die Ereignisse der Binnenhandlung hinein, andere werden in ihr aufgenommen. Da obendrein, formal gesehen, das Kapitel unmittelbar nach Beginn des Werkes in exegetischer Hinsicht eine programmatische Funktion erfüllt, darf angenommen werden, daß Grimmelshausen die ganze Simpliciade als astrologisch bedeutend angelegt hat und so verstanden wissen will. Damit soll genauer gesagt sein, daß nicht nur eine allgemeine astrologische Sinnstufe der Gesamtstruktur erwartet werden darf, sondern eine saturnisch-martialisch-merkurialische Bedeutung der zuerst einmal buchstäblich zu lesenden Handlung.

Im einzelnen lassen sich zahlreiche Belege für diesen besonderen allegorischen Aufbau des *Springinsfeld* beibringen. Hier mag ein grober Überblick genügen. Saturnisch signifikante Motive bestimmen vor allem die Rahmenerzählung. Strenge Winterskälte, die auch in der Binnengeschichte des Werkes mehrfach thematisiert wird, und nächtliche Finsternis sind die herausragenden Merkmale der eigenartigen Situation, besonders in der Schlafkammer des Gasthauses. Dem nach der Chaldäischen Reihenfolge am weitesten außen im Universum stehenden, lichtschwachen Planeten Saturn sind in der Astrologie nicht nur die Kälte, sondern auch alles Nokturnisch-Dunkle untergeordnet. (Von hier aus bestätigt sich die Beobachtung, daß Springinsfeld als Erzähler der Binnengeschichte auch saturnische Züge trage, nachdem die seiner Scham entgegenkommende Situation, den seltsamen Lebenslauf »im Finstern zu erzählen«, astrologisch zunächst auf den Planeten Mars verweist, der nach dem *Ewig-währenden Calender* »der Nacht zugetan« ist.) Gegen Ende des *Springinsfeld* klingt sogar die zerstörerische Macht des Winterplaneten Saturn an, wenn der Eisgang des Rheins die Brücke wegreißt. Damit rundet sich die Erzählung auch in allegorisch-saturnischem Sinne, leidet doch Trommenheim bei seiner vergeblichen Bewerbung sehr unter dem Einfluß der Jahreszeit: »Ich wurde aber nicht allein von diesen unsäglich innerlichen Anfechtungen, sonder auch von der damaligen grimmigen Kälte von außenhero dergestalt geplagt, daß ein jeder, der mich gesehen und die Kält nit selbst empfunden, tausend Eid geschworen hätte, ich wäre mit einem 3- oder 4tägigen Fie-

ber behaft.« Bis in den unmittelbaren Schluß des Buches
hinein bemüht sich Grimmelshausen, das Bewußtsein des
Lesers für die winterliche Atmosphäre wachzuhalten:
Simplicissimus lädt seinen ehemaligen Kameraden ein, »bei
ihm auszuwintern«. Der Winter als Erzählgegenstand oder
Kulisse des Geschehens tritt dagegen im simplicianischen
Gesamtwerk verhältnismäßig zurück.

Daß in der Lebensgeschichte des erfahrenen Soldaten
Springinsfeld Kriegerisch-Kämpferisches vorherrscht, ist
selbstverständlich. Die Schilderung von Schlachtenszenen
weist bis zur Berücksichtigung von »tapferer Helden mar-
tialischem Blut« den grausigsten Detailrealismus auf. Damit
tritt ebenso dominierend der saturnisch bedeutsamen Zen-
tralmotivik von Kälte und Finsternis martialisch signifikante Motivik zur Seite. Grimmelshausen führt sie in verschiedenen Spielarten durch, etwa in den »Historien« von
den drei merkwürdigen Verschwendern oder den Berichten
von Meutereien und Rebellionen im Heer, insbesondere der
»verfluchten Wallensteinischen Zusammenverschwörung«.
In allen diesen Fällen dürfte authentisch-autobiographi-
sches Material um seiner astrologisch-martialischen Ver-
weismächtigkeit in Springinsfelds Geschichte aufgenommen
worden sein: Aufrührer und Verschwender, zumal wie hier
von verwegenem und unverschämtem Auftreten, zählt der
Ewig-während Calender zu den Martialischen. Diese »Planetenkinder« kämen letzten Endes alle »dem Henker unter
die Hände«. Wie das Leitmotiv des Henkens in allen diesen
Anekdoten und darüber hinaus im ganzen Roman beweist,
hat sich der Autor der Simpliciade diese Anregung bis in
Einzelheiten zunutze gemacht. Entsprechend ist auch das
an sich um seines unabdingbaren Auftretens willen kei-
neswegs bemerkenswerte Pferd in der Erzählung sehr
hervorgehoben. Springinsfeld wird von Pferden zertreten,
ist zum Verzehr von Pferdefleisch genötigt, leistet selbst
»Roßarbeit«, berichtet vom Massensterben dieser Tiere im
Kriege und erbeutet nach einer Schlacht so viele von ihnen,
daß er sich »for einen Roßhändler hatte ausgeben« können:

Mars regiert die Pferde. Da er außerdem die Räuber zu
seinen »Planetenkindern« zählt, bleibt Springinsfeld auch
ein Raubüberfall nicht erspart. Eine der kräftigsten Steige-
rungen erfährt, gerade im Vergleich mit Grimmelshausens
literarischer Vorlage, das martialische Kernmotiv des Soldatischen in der nächtlich-winterlichen Wolfsszene im
Dorfe bei Balingen. Den Wolf als Tier des Mars – auch der
simplicianische Kalender unterläßt nicht, ihn als solches
aufzuzählen – setzt Grimmelshausen mehrfach in satur-
nisch-martialischem Kontext ein, am gelungensten wohl in
der Anfangspartie des *Simplicissimus Teutsch*. Auch in der
Episode des *Springinsfeld* vermischt sich das auf Saturn
verweisende Dauernd-Unheilvolle einer Nacht, die sich
»länger als sonst vier« hinzieht, mit dem martialisch signifikativen Bedrohlich-Aggressiven zu einer makabren Szenerie,
die einen ihrer Höhepunkte in der schaurigen Beschreibung
der ›menschlichen Schindgrube‹ im Keller des Springinsfeld
als Zuflucht dienenden Hauses besitzt.

Dieser allegorische Mischcharakter hat sich bereits, an pro-
grammatischer Stelle, in der Figurenzeichnung des Springinsfeld selbst gezeigt. Er gibt, nimmt man das merkurische
Element auf der Bedeutungsebene des erzählten Geschehens
hinzu, die Signatur des gesamten Werkes ab und verbürgt
dessen Einheit, die auf der Stufe des Buchstabensinnes in
immer neuen Anläufen gesucht worden ist. Die merkurische
Bedeutung einzubeziehen erlauben bestimmte Schlüsselhin-
weise, etwa die Bemerkung Springinsfelds, er habe »wie der
flüchtige Mercurius« herumwandern müssen. Der Akzent
des Bedeutungsgehaltes liegt trotz der Verschränkung der
einzelnen Planetensignifikanzen nichtsdestoweniger jeweils
auf einem der drei Astralgötter, beispielsweise beim Dorf-
abenteuer auf Mars. Der Titelheld erscheint geradezu – im
Einklang mit seiner im 2. Kapitel festgelegten astrologischen
Funktion – als Allegorie des Planeten Mars selbst, wenn er
auf dem Dachfirst der Ruine inmitten des vom Kriege ver-
wüsteten Dorfes thront. Wie sehr Grimmelshausen mit dieser Schilderung eine, diesmal *episch*-satirische, Abwandlung

der Ikonographie des Gestirngottes beabsichtigt haben dürfte, zeigt ein Vergleich mit noch im 17. Jahrhundert sehr häufigen und ihm vertrauten Planeten- und Planetenkindschaftsbildern.

Zur beherrschenden Saturn- und Mars-Motivik muß sich im *Springinsfeld* gleichgewichtige Merkur-Motivik gesellen. Sie liegt im Sprachmotiv vor. Der Bereich der Sprache im weitesten Sinne wird in der Astrologie dem Planeten Merkur als dem redegewandten Unterhändler des Konzils der Sternregenten zugeteilt. In der Simpliciade nimmt die Sprache als formales und thematisches Element einen breiten Raum ein, von der stilistisch und sozial gestaffelten Dialogführung, in die Dialekte einbezogen sind, über komische und auffällig variierte Wortspiele und Wortverdrehungen gerade aus dem Munde Trommenheims bis hin zu dem einzigen Schwank, den zu erzählen Simplicissimus sich herbeiläßt. Seine Pointe wird durch ein sprachliches Mißverständnis ausgelöst, seinen Erzählanlaß findet er in einer Episode, in der die Unerfahrenheit eines weiteren Schreiberknechts mit Hilfe sprachlicher Doppeldeutigkeiten lächerlich gemacht wird. Es reicht kaum aus, die in Sprache umgesetzte Genreszene nur auf der Ebene ihres Literalverständnisses als Selbstverspottung des Schaffners Grimmelshausen zu interpretieren. Schon die Verdoppelung der Schreiberfigur, die ihr klassisches Muster in dem Paar Olivier und Herzbruder besitzt, weist den Weg zur Allegorese. Auch im *Springinsfeld* verkörpern die beiden Schreiber die Zweifachnatur des Planeten Merkur. Die »unverhoffte Zusammenkunft« im Gasthaus, die über sich hinausdeutend auch eine seltener eintretende astrologische Konjunktion bezeichnet, lehrt, Grimmelshausen auch in dieser speziellen exegetischen Hinsicht beim Wort zu nehmen. Hält Trommenheim seinen hinzukommenden Kollegen ebenfalls für einen Schreiberknecht, und zwar »der Kleidung und Jugend nach«, dürfte sich der Autor an seinen Kalender anlehnen, der den Planeten Merkur zum Herren »der jungen Brüder und der Knecht« erklärt. Auch stellt die Courasche dem jungen Schreiber den Posten als Sekretär aller Zigeuner in Aussicht – selbstironisch nennt sich Trommenheim nach dem betrügerischen Initiationsritus »der schwarze Secretarius«; Sekretäre aber haben nach dem *Ewig-währenden Calender* eine merkurialische Profession inne. »Secretarios [...], Poeten, Bücherschreiber« zählt die astrologische Abhandlung unter anderem auf; und als Verfasser sowohl des *Trutz Simplex* wie auch des *Springinsfeld* reiht sich der Schreiber einmal mehr in diese merkurische Schar ein. Außerdem stellt er sich auch als »armer Schüler« mit der Absicht vor, ein Studium – Inbegriff merkurisch signifikanter Tätigkeit – aufzunehmen. Auffallend genug wird das Motiv fortgeführt, indem mit dem jungen Simplex und seinem Kommilitonen noch zwei Studenten auftreten. Deren Lebensweise thematisiert zudem Springinsfeld in einer Schaustellung merkurischer Regsamkeit und Gedächtnisstärke mit Hilfe der simplicianischen Gaukeltasche satirisch. – Merkurisch auszulegen sein wird nicht zuletzt auch die mehrfache Untergliederung und Schachtelung des Werkes durch verschiedene Erzählungen, vor allem die für die simplicianischen Schriften ungewöhnliche Grobstruktur von Rahmen- und Binnengeschichte. Damit soll gesagt sein, daß auch Formelemente der Simpliciade – wozu sich auch die astrologisch bedeutende, weil durch die Mars-Zahl Neun definierbare Gesamtzahl von siebenundzwanzig Kapiteln zählen ließe – auf Merkur als Planetengott der Dichter sowie »geschwinde[n] Köpf und geschickte[n] Künstler« verweisen. In der von Olivier und Herzbruder beherrschten Merkur-Phase des *Simplicissimus Teutsch* ist ähnliches zu beobachten: In die durchlaufende Geschichte des Helden sind der geraffte und in sich bedeutungsvoll organisierte Lebensbericht des Olivier sowie – wenigstens in abstrakter Nennung – der des Herzbruder und der des Knan eingefügt. Im *Springinsfeld* erhält, so gesehen, die von Simplicissimus zögernd beigesteuerte Anekdote desto stärkere Relevanz. – Höhepunkt des Merkurischen ist indes die Marktszene, in der Simplicius, unterstützt von Trommenheim, nicht nur rhetorisch unterbaute Geschicklichkeit und geistige Wendigkeit als hervorstechende merkurische Züge, sondern auch die Art seines ›kaufmännischen‹ Lebensunterhaltes demonstriert. Der Planet Merkur ist vor allem der Gott des Handels und der Kaufleute. Grimmelshausen muß es auf dieses Erwerbsmotiv angekommen sein, da er Simplicissimus außerdem als Landwirt und Viehzüchter vorstellt. Dadurch wird überdies – bezieht man den Knan als aus dem großen Roman bekannten Saturnier ein – das Bäuerliche als typisch saturnisch signifikatives Milieu mit in das Beziehungs- und Bedeutungsgeflecht des kleineren Werkes verwoben. Springinsfeld kann nicht umhin, die – merkurische – Geschäftstüchtigkeit des alten Kameraden zu loben, die seine eigene noch übertreffe. Ihm will es gar scheinen, als fließe dem Gefährten das Geld mit Hilfe von »Zauberei und Verblendung« zu – deutliche Anspielung an die in der Astrologie dem Saturn zuerkannte ›Kunst‹ der Magie. Auch dieser Ansatz weitet sich bezeichnenderweise zu einem Motiv aus, wenn sich Simplex gegen den Verdacht der »Hexerei« wehrt. Im 12. Kapitel ist sogar ein ganzer Schwank für die – wenngleich satirisch-parodistische – Vorführung der Zauberei reserviert. Und auf den magischen Gegenstand des Vogelnestes, der das Ende von Springinsfelds Erzählung prägt und das Motiv der vermeintlichen Geistererscheinungen ermöglicht, sei nur beiläufig hingewiesen. – Simplicissimus betont, daß es entgegen Springinsfelds Vermutung beim Gelderwerb nicht ohne Anstrengung abgehe: »›Ja‹, sagte Springinsfeld, ›es ist nit nur das; ich sihe, daß dir das Geld gleichsam zuschneiet, daß ich doch mit so großer Müh und Arbeit Pfenning erobern und, wann ich dessen einen Vorrat haben und behalten will, beides an meinem Leib und an meinem Maul ersparen muß.‹ ›Du Phantast!‹ sprach Simpl., ›vermeinest du dann, dies Geld komme mich ohne Schnaubens und Bartwischens an? Meine beide Alte haben die 4 Ochsen mit Mühe und Kosten erziehen und ausmästen, ich aber laborieren müssen, bis ich die Materiam verfertigt, daraus ich heut Geld gelöst.‹«

Scheinbar nur im Vorübergehen klingt damit das saturnische Prinzip der »Müh und Arbeit« an und vervollständigt den Katalog der allegorisch auf diesen Planeten hindeutenden Motive. »[...] aus den menschlichen Geschäften«, heißt es im *Ewig-währenden Calender* von Saturn, »ist sein die Arbeit«.

Als vorwiegend saturnisch bedeutsam ist der Bericht Trommenheims von seiner Begegnung und seinem Aufenthalt bei den Zigeunern der Courasche konzipiert. Viele konstitutive Bestandteile der astrologischen Saturn-Vorstellung sind in diese Geschichte eingegangen, sei es eben der Begriff der Gefangenschaft, sei es der der arglistigen Täuschung, sei es der Anklang an den Kinderfresser-Mythos in der Furcht des Schreibers vor dem vermeintlichen Kannibalismus der Zigeuner, sei es in der für Trommenheim inszenierten Aufnahmezeremonie, bei der wie auch an anderer Stelle »das Schwarz« als saturnische Farbe ins erzählerische Spiel gebracht wird. Es hat den Anschein, als sei diese Kapitelfolge vornehmlich aus saturnischem Rohmaterial des Kalenders gestaltet und verfüge somit über eine gleichartige Sinnschicht, zumal der allegorisch für den Planeten Saturn stehende Simplicissimus in ihr zum Helden avanciert. In Analogie dazu läßt sich der Bericht des Schreibers, der sein eigenes Schicksal betrifft, nach seinem allegorischen Gesamtbild dem Merkur und Springinsfelds Bericht naturgemäß dem Mars zuordnen. Allen drei im 2. Kapitel exponierten Planeten ist folglich eine der großen Erzähleinheiten des *Springinsfeld* vorbehalten, ohne daß der Mischcharakter, wie gesagt, verlorenginge. Mischcharakter meint dabei immer, um auch das zu wiederholen, die epische Kombination von Grundzügen und Details jener drei Planetenvorstellungen. Auch wo auf den ersten Blick ein abweichender Eindruck entstehen könnte, kommt nur dieser Sachverhalt in Betracht. Beispielsweise verweisen die beiden Hochzeiten des Titelhelden – die Zeit des Verhältnisses mit der Courasche ist sowieso weitgehend ausgespart – nicht etwa auf den Planeten Venus, wie sich vermuten ließe. Vielmehr liegt Springinsfelds Motivation für diesen Entschluß wie die seiner jeweiligen Partnerin auch und vorrangig im ökonomischen Bereich und ist, beachtet man seine anschließenden Existenzweisen als Gastwirt und als landfahrender Leierer, eindeutig merkurischer Signifikanz. Allenfalls treten auch in diesen Erzählpartien saturnisch oder martialisch verweiskräftige Elemente dadurch hinzu, daß Springinsfeld und seine Gefährtinnen als überaus geizig und betrügerisch bezeichnet werden und den Neid und die Verachtung anderer wecken, deren Intrige Springinsfeld – ganz im Sinne der Kalenderaussagen – zum Opfer fällt. Als Wirt gerät Springinsfeld – wiederum stößt der Leser auf das unverwechselbare Saturn-Motiv – in den Verdacht, zaubern zu können; und überdeutlich zielt Grimmelshausen auf die chthonische Gottheit Saturn in der astrologischen Funktion des »Baumeisters«, wenn Springinsfeld an den Wiederaufbau des vom Krieg beschädigten Gasthauses seiner Frau geht. Signalhaft ist die Aufzählung der Wirtskundschaft, »Handelsleute, Exulanten und abgedankte Soldaten«, auf die Planetentrias Merkur, Saturn und Mars hin transparent; das breit ausgespielte Bettler-Motiv komplettiert das saturnisch verweiskräftige Erzählmaterial des Werkes. Hinzuzufü,en ist nur, daß sich bei der Schilderung der zweiten Hochzeit im 22. Kapitel mit der Jahrmarktszene erneut der typische und auf einschlägigen Blättern immer wieder festgehaltene Schauplatz merkurischer Aktivitäten und somit das Pendant zu der Gaukeltaschenszene am Anfang des Werkes findet.

Es ließe sich auf diese Weise letzten Endes das gesamte Geschehen des *Seltzamen Springinsfeld* als saturnisch-martialisch-merkurisch bedeutsam im Geiste des »sensus duplex« belegen. Nach der Darstellung einiger Leitmotive und Motivketten soll jedoch abschließend nur noch die Frage nach dem Sinn solch mehrschichtigen Erzählens kurz beantwortet werden: Indem die Erzählung des *Springinsfeld* auf Astrologisches, das heißt: auf drei Planeten aus der Siebenerfolge des Chaldäischen Systems allegorisch hindeutet, wird sie dialektisch zum Ergebnis der Einwirkung jener Planeten. Die Einflüsse der drei Gestirngottheiten, die sich zur »Coniunctio Saturni, Martis & Mercurii« zusammenfinden, bestimmen das erzählte Geschehen nach Maßgabe ihrer im *Ewig-währenden Calender* niedergelegten astrologischen »Naturen«. Von dieser These aus ist abschließend besonders die in diesem simplicianischen Werk ins Auge fallende Tendenz zur Sozialkritik nach Gehalt und Verbindlichkeit zu befragen.

Gleich in den Beginn des *Springinsfeld* geht die Verärgerung des Schreibers Trommenheim über seine willkürliche und demütigende Behandlung durch einen »Herren« ein. Das hochmütige Verhalten von dessen angepaßtem Dienstpersonal, dem Solidarität mit ihm als sozial Gleichgestelltem abgeht, empört ihn nicht minder. Doch bald darauf, bei der Gefangennahme durch die Zigeunertruppe der Courasche, muß er selbst die – vom Leser nicht nur im engeren Sinne aufzufassende – Erfahrung machen, »daß derjenig, so übermannet sei, sich nach derjenigen Willen und Anmutung schicken müßte, in deren Gewalt er sich befände«. Kann in dieser resignativen Einsicht immerhin noch Kritik mitschwingen, so konterkariert Trommenheim uneingeschränkt das – von Springinsfelds Schwiegervater ähnlich für den Bettlerstand geäußerte – Loblied der Courasche auf die freiheitliche, von der Unterwürfigkeit »knechtisch gesinnter Menschen« abgehobene Lebensweise: er verwundert sich darüber, daß die Mächtigen das zigeunerische »Diebsgesindel« auf ihren Ländereien duldeten. Dieser von den äußeren Ereignissen herbeigeführte, in ihnen vollzogene ›Widerruf‹ vorausgehender gesellschaftlicher Anklage kennzeichnet die gesamte Sozialkritik des *Springinsfeld*. Die Massivität ihres Einsatzes in der Erzählung, was Aussageintensität und Häufigkeit angeht, verdeutlicht das schon mit dem Eingangsfall gegebene Grundmuster der Rücknahme und sogar der Pervertierung.

In diesem Zusammenhang ist die Verkrüppelung des Titelhelden als eines der herausragenden und folgenreichsten

Geschehnisse des Werkes zu sehen. Es wäre unzureichend, wollte man sich die Interpretation der Meuder, nämlich Bestrafung Springinsfelds für die Quälerei und Schädigung der Bauern, zu eigen machen. Pfiffig und süffisant widerlegt diese Auffassung – erneut ein ›Widerruf‹ – Springinsfeld selbst: »›Schweigt nur still, liebe Mutter, Euer Simplicius hat's kein Haar besser gemacht und gleichwohl noch seine beide Füße übrig, woraus Ihr genugsam abnehmen könnet, daß ich mich nit an den Bauren versündigt und ihrentwegen meinen Fuß verloren [...]‹« Trotz Simplicissimus' vermittelndem Schiedsspruch bleibt der »Bauernschinder« Sieger im Disput mit der Meuder; man müsse, glaubt er nach wie vor, »›[...] den Bauern kratzen, wo sie es bedürfen [...]‹« – was auf eine Verherrlichung des Soldaten und des Krieges hinausläuft.

Diese Preisung des Martialischen und die in ihr implizit zum Ausdruck kommende Vorstellung sozialer Wertordnung, wie sie sich in der Allegorie des Ständebaums im *Simplicissimus Teutsch* manifestiert, geben den Schlüssel ab für die Deutung der Verstümmelung Springinsfelds. Die in seiner Zugehörigkeit zum Soldatenstand liegende Verpflichtung zur möglichst positiven Selbstbeurteilung und auch -darstellung ignoriert er gelegentlich, womit er zugleich gegen das militärische Ethos der Unterordnung und Disziplin eklatant verstößt. So tötet Springinsfeld einen wehrlosen Offizier der schwedischen Partei nicht nur als Feind, sondern – so scheint es – als den standesmäßig Höheren, der ihm seines Erachtens unter normalen Umständen nicht hilfesuchend, sondern verächtlich begegnet wäre: »›Ja‹, gedachte ich, ›jetzt bin ich dein Bruder, aber vor einer Viertelstund hättest du mich nicht gewürdigt, nur ein einziges Wort mir zuzusprechen, du hättest mich dann etwan einen Hund genannt.‹« Daß der fremde Offizier für Springinsfeld auch die eigenen Vorgesetzten repräsentiert, geht aus dem Umstand hervor, daß Springinsfeld jene Reflexion anstellt, noch bevor er weiß, »was Volks« der Offizier sei. Solche Denkweise, die, absolut betrachtet, als nachdrück-

liche Kritik am Sozialbereich des Militärischen gelesen werden kann, tritt bei Springinsfeld noch stärker hervor. Er
läßt etwa die Verurteilung sinnloser Soldatenopfer in seinem Bericht von der Schlacht bei Freiburg anklingen, mit
Bedacht in generalisierender, das heißt nicht nur die französische Führung treffender Form, und greift gewisse Erscheinungen der Feigheit und Drückebergerei in der türkischen Armee bei den Kämpfen auf Kreta offen an. In der
Bewertung von ihm getöteter Feinde schwingt geradezu
Teilnahme mit, wenn er sie als Soldaten charakterisiert,
die »mit Darsetzung ihres Lebens die, so Taler hatten, beschützen, bewachen und noch darzu mit ihren arbeitsamen
Händen und ritterlichen Fäusten die Ehre der erhaltenen
Uberwindung erobern und ihnen noch drüberhin beides die
Ehre, die Beut und die Belohnung darvon überlassen mußten; dann mir wurden niemal kein Beg oder Beglerbeg, viel
weniger gar ein Bassa unter denjenigen zu sehen, die vorhanden waren, ihr Blut an das christliche zu setzen. Doch
mag wohl sein, daß der Antreiber hinder den Truppen von
solchem Staff mehr gewesen seien als der Anführer vorn
an der Spitzen.« Die Brisanz dieser Kritik, die durch den
Vergleich mit den gewissermaßen demokratischen Verhältnissen in der schwedischen Armee noch mehr Gewicht be-
kommt, besteht in der Übertragung des negativen Befundes
auf die Zustände in der eigenen, sei es venezianischen, sei es
kaiserlichen, Truppe: die einfachen türkischen Soldaten erscheinen Springinsfeld als »Gesellen [...], dergleichen es
oft bei uns auch geben hat«. Die durchgängig beobachtbare
Gültigkeit von Springinsfelds ordnungsgefährdender Ur-
teilsperspektive auch für die Seite, der er angehört, ist her-
meneutisch wichtig, macht der Transfer der Kritik an anderen auf die eigenen Reihen ihn doch, und sei es nur vor
sich selbst, zum Rebellen! Gegen die militärische Ordnung
verstößt aber Springinsfeld nicht nur in seinem Denken;
einmal beispielsweise kann er sich nach einem handgreif-
lichen Verstoß gegen die soldatischen Gesetze nur durch
Flucht und Bestechung vor dem Strang retten. Er reiht

sich damit ein in die auffällig lange Abfolge von Aufrührern, von denen in seiner Lebenserzählung die Rede ist. Der Fiktionscharakter seiner diesbezüglichen Aussagen und Erlebnisse unabhängig von der Vorgabe historisch-authentischer Vorfälle in den literarischen Vorlagen Grimmelshausens belegt die Intentionalität der Aufrührer- und Meuterer-Motivik in der Simpliciade. Der Autor übernimmt nicht einfach, was sich dort bietet, sondern übernimmt bewußt und reichert den Stoff entsprechend seiner Gestaltungskonzeption an. Diese Motivik hat damit, wie sich von hier aus bestätigt, im astrologischen System des Werkes ebenfalls astrologische Funktion. Aufrührer, noch einmal, werden laut *Ewig-währendem Calender* vom Planeten Mars regiert. Unbeschadet der vorrangigen Signifikanz als Sterngottheit – Grimmelshausen verfährt mit ähnlich komplexer Methode bei den astrologisch bedeutsamen Figuren des großen Romans –, leistet die Springinsfeld-Gestalt mit der Darbietung ihres Lebenslaufes zugleich die Demonstration der in der Astrologie festgelegten Wechselfälle eines martialischen Planetenkindes. Demgemäß erleidet Springinsfeld in diesem Falle die von der Doktrin vorgesehene Strafe des Aufrührers – in ihr liegt hier die Widerrufsstruktur –, und zwar ostentativ auf martialische Weise: Eine Springmine zermalmt ihm das Bein, nachdem ihm weniger spektakuläre und so im Sinne astrologischer Stringenz und Auffälligkeit weniger taugliche Waffen wie Musketen und Säbel nichts haben antun können. Der Autor ist offenbar bemüht, den martialischen, das heißt astrologischen Charakter der Bestrafung durch die Folgeerscheinungen der Verwundung noch zu unterstreichen. Wie es der Kalender angibt, erkrankt Springinsfeld zusätzlich an der »roten Ruhr« mit ihren Begleitbeschwerden. (Sowieso befallen ihn auffällig oft, in einem selbst von den damaligen Verhältnissen nicht mehr abgedeckten Maße, die nach Grimmelshausens Kalender martialisch bedeutsamen Krankheiten wie Pest und Fieber.) – Daß Springinsfeld übrigens im Einklang mit seiner astrologischen Bedeutung als Kriegsgott Mars nur auf militärischem Gebiet zum Aufrührer wird, zeigt die Art seiner auf andere Bereiche gerichteten Sozialkritik. Hier geschieht der ›Widerruf‹ nicht mit Hilfe – martialisch bedingter und bedeutsamer – Ereignisse, sondern in der Form distanzierenden Kommentars. »›So recht, so muß der Hagel in die größten Haufen schlagen, damit das Geld auch wieder unter den gemeinen Mann komme‹«, oder: »›Also muß der Teufel einen Spielmann abgeben, wo man der Armen Schweiß verschwendet [...]‹«, zitiert er zwar Stimmen aus dem Volke mit geradezu klassenkämpferisch anmutendem Tenor. Doch setzt er sich von solchen Äußerungen der Unzufriedenheit von vornherein ab, indem er sie als Ausdruck des »Wahns des gemeinen, unbesonnenen Pöbels« qualifiziert und die von ihm Zitierten als »lucke Klügling« und Lästerer diskriminiert.

Ebenso eindringlich wie Springinsfeld, aber auf allgemeingesellschaftlichem Sektor, begehrt die Leirerin auf, die nicht nur »eine viel ärgere Courasche« darstellt, sondern positiv in ihren emanzipatorischen Bestrebungen das größere literarische Muster fast übertrifft. Abgesehen davon, daß sie sexuelle Fetischisierungen der Männer für sich nicht als verbindlich anerkennt, verwahrt sie sich energisch gegen von ihr als herablassend empfundene Behandlung durch ihr sozial Übergeordnete und Etablierte. So protestiert sie mit deutlichem sozialkritischem Akzent gegen die Abkanzelung, zu der sich eine Äbtissin ihr gegenüber bemüßigt fühlt. Grimmelshausen unterstreicht die Bedeutung dieser Textstelle durch ihre Einfügung in ein dichtes Arrangement von Aussagen ähnlicher Tendenz. »›Potz Herrgett, Gnäd. Frau, seht Ihr mich dann for eine Hur an?‹ antwortet' sie ihr; ›Ihr müßt wissen, daß ich meinen ehrlichen Mann habe und daß wir nicht alle Nonnen oder reich sein oder unser Brot bei guten, faulen Tägen essen können; hat Euch Gott mehr als mich beseligt, so dankt ihm darum, und wollt Ihr mir seinetwillen kein Almosen geben, so laßt mich im übrigen auch ungestiegelfritzt. Wer weiß, wann vielleicht nicht so viel Almosen gegeben worden wären, ob nicht mehr Leirerin als Nonnen gefunden würden‹, etc.« Ausdrücklich bekennt sich die Leirerin zum – sozialgeschichtlich gesehen, bürgerlichen – Grundsatz gesellschaftlicher Gleichheit, wenn sie, mag auch Taktik aus Eigennutz dabei sein, ohne religiöse Ableitung feststellt, es sei »ja ein Mensch des andern wert«.

Damit rüttelt sie gefährlich an den Festen der feudalistisch geprägten Standeshierarchie ihrer Zeit, wie sie Springinsfeld speziell auf militärischem Gebiet zum Gegenstand der Kritik macht. Allerdings geht es dem Autor auch hier nur bedingt um Gesellschaftskritik als solche. Es ist ihm um Gesellschaftskritik als Bedingung der Möglichkeit zu tun, astrologisch determinierte Mechanismen ablaufen zu lassen: Auch die Leirerin wird zur Aufrührerin und damit nach dem Verständnis Grimmelshausens und seiner astrologiegläubigen Epoche eo ipso zu einem astrologischen Typus mit den Auflagen dieser Ideologie. Nicht erst nach der Kennzeichnung der Leirerin etwa als »Schlange« oder »halber Teufel« durch den eigenen Ehemann ist daher ihre adäquate Bestrafung, der ›Widerruf‹ ihrer Kritik, vorauszusehen. Und wirklich entspricht der Schrecken ihres, sozusagen mit martialischen Mitteln herbeigeführten, Endes der Intensität, das heißt: Gefährlichkeit ihrer Aufmüpfigkeit.

Der Ausgangspunkt für die letzten Überlegungen ist die Frage nach dem Sinn der astrologischen Bedeutung des *Springinsfeld* gewesen. Es hat sich erwiesen, daß die Astrologie dem Autor dazu dient, die auffallend massive Sozialkritik in seinem Werk zu funktionalisieren. Aufrührer interessieren ihn als astrologische Typen, um der astrologisch vorgesehenen Bestrafung ausgesetzt werden zu können. Dieses Ergebnis ist interessant, denn es wirft die Frage auf, warum Grimmelshausen nicht den direkten Weg wählt, also Aufrührer und Rebellen gegen das bestehende soziale Gefüge als solche, statt über den scheinbaren Umweg astrologischer Typisierung der Bestrafung zuzuführen. Grimmelshausen dürfte hier, so lautet die Antwort, auf der Suche nach der Legitimation der Ordnung zu erkennen sein, die er zur Abfassungszeit der Simpliciade als Schultheiß des Straßburger Bischofs, besonders als Garant der »Polizei-Ordnung«, und allgemein als konservativer Mensch vertrat. Offenbar war ihm diese Ordnung nicht mehr fraglos gültig. Wie man weiß, kannte er nicht nur die Unrechtsstruktur des Militärs aus langjähriger Erfahrung sehr gut, sondern hatten er und die ihm unterstellte Amtsgemeinde manches unter den Ungerechtigkeiten der Vorgesetzten zu leiden; Grimmelshausens Ringen um die Anerkennung seiner adligen Abkunft ist nur ein ihn persönlich betreffendes Beispiel unter vielen. Seine in den *Springinsfeld* eingearbeitete und episch getarnte Sozialkritik kommt somit nicht von ungefähr. Auch außerschriftstellerisch sah sich Grimmelshausen, und zwar mit immer wachsender Zivilcourage und über die Niederschrift des *Springinsfeld* hinaus, zu ihrer Artikulation genötigt. Auf Grund solcher Erfahrungen mußte der Beamte unweigerlich in einen Loyalitätskonflikt geraten. In diesem Dilemma kam ihm nun seine Astrologiegläubigkeit zu Hilfe; aus seiner affirmativen, wenngleich eben nicht mehr ungebrochenen Grundeinstellung nahm er mit dem Griff zur ihm besonders nahestehenden, obendrein göttlich sanktionierten Astrologie Zuflucht zur metaphysischen Beglaubigung der überlieferten Weltsicht und bändigte gewissermaßen in effigie die eigene Versuchung zur Revolte. Von hier erklärt sich die Signatur des ›Widerrufs‹ in der sozialkritischen Motivik des Werks. Zwar gelingt noch die Stabilisierung des Gegebenen im Medium des Epischen – man beachte auch die Huldigungen des ehemaligen Sekretärs eines bayerischen Regimentes an den Kurfürsten dieses Landes im *Springinsfeld* –, aber das durchbrechende Bewußtsein von der Bedrohung der herrschenden Sozialordnung wird von Grimmelshausen nur unter Aufbietung der Astrologie erstickt.

Klaus Haberkamm

Inhalt

Barockliteratur

IN RECLAMS UNIVERSAL-BIBLIOTHEK (AUSWAHL)

Abraham a Sancta Clara: *Wunderlicher Traum von einem großen Narrennest.* Hrsg. v. Alois Haas. 6399

Angelus Silesius: *Aus dem Cherubinischen Wandersmann und anderen geistlichen Dichtungen.* Auswahl Erich Haring. 7623

Johann Beer: *Printz Adimantus und der Königlichen Princeßin Ormizella Liebes-Geschicht.* Hrsg. v. Hans Pörnbacher. 8757

Jakob Bidermann: *Cenodoxus.* Deutsche Übersetzung v. Joachim Meichel (1635). Hrsg. v. Rolf Tarot. 8958 [2]

Deutsche Barock-Lyrik. Auswahl. Hrsg. v. Herbert Cysarz. 7804 [2]

Paul Fleming: *Gedichte.* Auswahl u. Nachwort Johannes Pfeiffer. 2454

Hans Jakob Christoph von Grimmelshausen: *Der abenteuerliche Simplicissimus Teutsch.* Einleitung u. Anmerkungen Hans Heinrich Borcherdt. 761 [8]
– *Lebensbeschreibung der Erzbetrügerin und Landstörzerin Courasche.* Hrsg. v. Klaus Haberkamm u. Günther Weydt. 7998 [2]
– *Der seltzame Springinsfeld.* Hrsg. v. Klaus Haberkamm. 9814 [3]

Andreas Gryphius: *Absurda Comica oder Herr Peter Squenz.* Schimpfspiel. Hrsg. v. Herbert Cysarz. 917
– *Cardenio und Celinde Oder Unglücklich Verliebete.* Trauerspiel. Hrsg. v. Rolf Tarot. 8532
– *Carolus Stuardus.* Trauerspiel. Hrsg. v. Hans Wagener. 9366 [2]
– *Catharina von Georgien.* Trauerspiel. Hrsg. v. A. M. Maas. 9751 [2]
– *Gedichte.* Auswahl Adalbert Elschenbroich. 8799 [2]
– *Großmütiger Rechtsgelehrter oder Sterbender Aemilius Paulus Papinianus.* Trauerspiel. Text der Erstausgabe, besorgt v. Ilse-Marie Barth. Nachwort Werner Keller. 8935 [2]
– *Leo Armenius.* Trauerspiel. Hrsg. v. Peter Rusterholz. 7960 [2]

Johann Christian Günther: *Gedichte*. Auswahl u. Nachwort Manfred Windfuhr. 1295

Johann Christian Hallmann: *Mariamne*. Trauerspiel. Hrsg. v. Gerhard Spellerberg. 9437 [3]

Christian Hofmann von Hofmannswaldau: *Gedichte*. Auswahl u. Nachwort Manfred Windfuhr. 8889 [2]

Quirinus Kuhlmann: *Der Kühlpsalter*. 1.–15. und 73.–93. Psalm. Im Anhang: Photomechanischer Nachdruck des »Quinarius« (1680). Hrsg. v. Heinz Ludwig Arnold. 9422 [2]

Laurentius von Schnüffis: *Gedichte*. Auswahl. Hrsg. v. Urs Herzog. 9382

Daniel Casper von Lohenstein: *Cleopatra*. Trauerspiel. Text der Erstfassung von 1661, besorgt v. Ilse-Marie Barth. Nachwort Willi Flemming. 8950 [2]
– *Sophonisbe*. Trauerspiel. Hrsg. v. Rolf Tarot. 8394 [3]

Martin Opitz: *Buch von der Deutschen Poeterey* (1624). Hrsg. v. Cornelius Sommer. 8397 [2]
– *Gedichte*. Auswahl. Hrsg. v. Jan-Dirk Müller. 361 [3]
– *Schäfferey von der Nimfen Hercinie*. Hrsg. v. Peter Rusterholz. 8594

Die Pegnitz-Schäfer. Nürnberger Barockdichtung. Hrsg. v. Eberhard Mannack. 8545 [4]

Christian Reuter: *Schelmuffskys warhafftige curiöse und sehr gefährliche Reisebeschreibung zu Wasser und Lande*. Hrsg. v. Ilse-Marie Barth. 4343 [3]
– *Schlampampe*. Komödien. Hrsg. v. Rolf Tarot. 8712 [3]

Kaspar Stieler: *Die geharnschte Venus*. Hrsg. v. Ferdinand van Ingen. 7932 [3]

Georg Rodolf Weckherlin: *Gedichte*. Ausgew. u. hrsg. v. Christian Wagenknecht. 9358 [4]

Christian Weise: *Masaniello*. Trauerspiel. Hrsg. v. Fritz Martini. 9327 [3]
– *Ein wunderliches Schau-Spiel vom Niederländischen Bauer*. Hrsg. v. Harald Burger. 8317 [2]

PHILIPP RECLAM JUN. STUTTGART